SER
ESTRANGEIRO

João Paulo Charleaux

SER ESTRANGEIRO

Migração, asilo e refúgio
ao longo da história

COLEÇÃO
Tirando de Letra

claroenigma

Copyright © 2022 by João Paulo Charleaux

Grafia atualizada segundo o Acordo Ortográfico da Língua Portuguesa de 1990, que entrou em vigor no Brasil em 2009.

CAPA
Mariana Bernd e Julia Paccola

ILUSTRAÇÃO DE CAPA
Bruno Algarve

PROJETO GRÁFICO
Ale Kalko

PREPARAÇÃO
Julia Passos

ÍNDICE REMISSIVO
Maria Claudia Carvalho Mattos

REVISÃO
Clara Diament e Thiago Passos

Dados Internacionais de Catalogação na Publicação (CIP)
(Câmara Brasileira do Livro, SP, Brasil)

Charleaux, João Paulo
  Ser estrangeiro : Migração, asilo e refúgio ao longo da história / João Paulo Charleaux. — 1ª ed. — São Paulo : Claro Enigma, 2022.
(Coleção Tirando de Letra)

  ISBN 978-65-89870-12-8

  1. Conflito social 2. Emigração e imigração – Aspectos sociais 3. Estrangeiros 4. Imigrantes – Brasil – História 5. Migração 6. Preconceitos – Aspectos sociais I. Título II. Série.

22-112036   CDD-305.9

Índice para catálogo sistemático:
1. Imigrantes : Sociologia   305.9

Eliete Marques da Silva – Bibliotecária – CRB-8/9380

[2022]
Todos os direitos desta edição reservados à
EDITORA CLARO ENIGMA
Rua Bandeira Paulista, 702, cj. 71
04532-002 — São Paulo — SP
Telefone: (11) 3707-3500
www.companhiadasletras.com.br
www.blogdacompanhia.com.br

SUMÁRIO

Introdução — 7

1. Quem é o estrangeiro? — 13
2. Grandes migrações através dos tempos — 31
3. Na pele de um refugiado — 47
4. Tipos de migrantes, de leis e de instituições — 65
5. Você é o imigrante ao lado — 91

Sobre o livro e o autor — 97
Índice remissivo — 101

INTRODUÇÃO

O outono de 2017 foi frio em Paris. Na última noite de novembro, uma quinta-feira, nevou na capital da França. Os carros, os telhados e as pequenas mesas redondas dos cafés ficaram cobertos por uma capa branca.

Na estreita Rue des Martyrs, em Montmartre, as vendinhas de frutas, pães, queijos e peixes arriavam as portas no fim do dia, enquanto os funcionários pisavam com cuidado na calçada escorregadia feita de pedra.

Subindo o aclive do bairro, na direção da antiga igreja de Sacré-Coeur, era possível ouvir conversas em voz baixa entre os empregados que tratavam de fechar o comércio no início da noite e tomar o rumo de casa. De queixo colado no corpo, cabeça baixa e passo apertado para fugir do frio, eu conseguia vislumbrar, com o rabo de olho, os rostos jovens dos funcionários da quitanda que se despediam em árabe. Eram meninos de sobrancelhas grossas e barbas bem desenhadas. Eu sabia: aqueles garotos eram sírios.

Na quadra seguinte, numa praça com um carrossel vermelho antigo que estava sempre desligado, com seus cavalos inertes e mudos, um grupo de homens altos e esguios passou por mim. Tinham a pele negra e os dentes brancos, como teclas de um piano. Falavam francês, mas vinham do Mali, pensei.

Com aquela neve toda, era impossível que, ao dobrar a esquina, desse de cara com ela ali. Mas eu sabia que passaria por onde todos os dias uma senhora letã me pedia moedas balançando um copo roto de papelão, com lenço na cabeça e frases em russo ou letão.

Eu caminhava na direção do metrô e pensava que a diferença entre o chuvisco e a neve é o tempo que as gotas ou os minúsculos pedacinhos de gelo levam até chegar ao chão. Quando a luz das lâmpadas amareladas dos antigos postes de rua bate na neve, é possível perceber que ela dança, num movimento ondulado em que cada floco dá, com certo charme, uma ou duas piruetas antes de cair na calçada.

Quem se deixa encantar por esse movimento não percebe o tempo passar e se surpreende ao se dar conta de que poucos minutos bastaram para que o bairro inteiro ficasse branco.

Na estação Pigalle, ao descer a escada do metrô, tive de esperar que uma senhora boliviana se entendesse com o sistema eletrônico que emite as passagens. Percebi que falava espanhol e me ofereci para ajudar.

Dentro do vagão, me acomodei num dos assentos e, enquanto encarava a nuca do senhor sentado à minha frente, me perdia em pensamentos sobre a origem e o destino das pessoas daquele trem.

"Tem que matar esses negros. Matar os filhos deles", alguém estava falando em voz alta no metrô. "Mandar embora esses desgraçados." Eu não conseguia ver o rosto do homem sentado à minha frente, então demorei a entender que era justamente ele quem falava assim. "Esses imigrantes de merda. Deviam todos ir embora", ele dizia, com uma voz firme, pausada, alta e clara, como quem de fato está preocupado em se fazer ouvir.

Éramos poucos naquele vagão. Olhando ao redor, pude perceber que ele se dirigia justamente aos imigrantes que viajavam conosco. Cinco pessoas negras estavam perto de nós, três homens e duas mulheres, que não se conheciam entre si. Eram pessoas comuns, voltando para casa após um dia de trabalho ou de estudo. "Negros de merda", ele continuava a dizer, como se esperasse uma reação. Mas os demais passageiros apenas olhavam, constrangidos, para os lados ou para baixo. Uma das moças mexia no celular. Talvez tivessem medo ou apenas quisessem evitar problemas. Pareciam todos congelados pela agressividade sem freios daquele passageiro.

O discurso violento continuou por algumas estações. Quando o ruído do metrô diminuía, era possível perceber que a voz se arrastava. Estava bêbado. Repetia frases sobre expulsão e morte. A cada vez que o vagão mergulhava no túnel escuro, eu via meu próprio rosto refletido no vidro da janela. Pele clara, cabelo crespo, nariz grande. Eu não sentia que a agressividade daquele homem era dirigida a mim. Mas poderia ser. Sou brasileiro, afinal. Estrangeiro, como os demais.

Frequentemente, depois de confrontados com situações de estresse ou de violência, pensamos nas respostas possíveis, nas atitudes espirituosas ou valentes que poderíamos ter tomado. O fato de estar fechado naquele vagão me deu a chance de fazer isso ali mesmo, enquanto viajava. Na minha imaginação, eu me levantava, pedia passagem e me acomodava ao lado dele para conversar. Apertava a mão daquele homem e olhava em seus olhos. Dizia: "Monsieur, meu nome é Charleaux. É um nome francês, não é? Pois bem, eu não sei de onde ele veio. Mas o fato é que, em algum momento, algum francês saiu daqui e se meteu no Saco da Ribeira". Na minha cabeça, eu podia ver o olhar de perplexidade do homem, sobretudo depois de ouvir um nome tão estranho quanto "Saco da Ribeira". Ele talvez dissesse "mas o que é isso?". E, assim, conversaríamos.

Meu avô é de lá. Nasceu numa colônia de pescadores localizada nesse recorte de costa em Ubatuba, no litoral norte de São Paulo, quase na fronteira com o Rio de Janeiro. A geografia do Saco favorece a atracação e protege os barquinhos. É por isso que os caiçaras se fixaram ali. Quando eu era criança, ouvia meu avô dizer que a nossa família descendia de piratas franceses. Em 1555, Nicolas Durand de Villegagnon proclamou ali perto, no Rio de Janeiro, a fundação da França Antártica, mas todo esse pessoal acabou expulso pelos portugueses. Eu, garoto, podia ver meus antepassados, talvez marujos da trupe de Villegagnon, com olho de vidro e perna de pau, ficando em Ubatuba, escondidos, depois de terem sido derrotados e expulsos pelos portugueses.

No lugar onde o meu avô nasceu, em 18 de outubro de 1919, havia um bocado de famílias com sobrenomes franceses: Charleaux, Vigneron, Garroux, Bourget, Bruyer. Mas, no fundo, eram todos caiçaras, como meu avô, que, para nós, não se chamava Charleaux, mas Quitito, que eu acho um apelido bem bonito. Ali naquela praia, ninguém sabia direito de onde veio. E ninguém era capaz de dizer com certeza de onde vinham aqueles nomes tão incomuns. A história sobre os piratas franceses nos divertia, mas o mais provável é que essas famílias tenham chegado bem depois, já nos anos 1800.

Seja como for, havia uma ironia involuntária naquela situação. Eu, brasileiro, voltava em 2018 a uma França de onde, um dia, haviam partido parentes distantes em direção ao Brasil. Por isso me soava ainda mais absurda a agressão que aquele cidadão grosseiro dirigia aos imigrantes africanos. A história da humanidade é de viagens, migrações, choques, encontros e desencontros. Como alguém pode se opor tão violentamente contra isso?

Em 1999, eu conheci em Cuba uma menina do Chile. A família dela, meio alemã, criava ovelhas e cuidava de hortas perto da Patagônia, uma terra de lagos, vulcões e terremotos. Tivemos um filho em 2003. Durante anos, vivemos um ano lá, um ano cá, pulando por sobre a Cordilheira dos Andes. Éramos sempre, de alguma forma, estrangeiros.

Se eu pudesse, teria dito tudo isso àquele homem sentado ali, no banco duro do vagão do metrô de Paris. Mas a porta se abriu. A viagem acabou. Nos perdemos todos, franceses, brasileiros, maleses, etíopes e Deus sabe mais o quê, nos misturando pelos corredores de ladrilhos brancos da estação final. Eu deveria escrever um livro, pensei, para que pessoas como aquele homem lessem, um dia, num trem. Mas não quando crescidos, endurecidos pela ignorância. Eu queria que aquele homem tivesse lido boas histórias quando jovem, na escola, talvez. Antes que crescesse, bebesse e agredisse com palavras tão duras pessoas que estavam no mesmo vagão que ele. Antes que votasse em alguém que pensa como ele. E antes que ele mesmo, ou alguém parecido, viesse a governar com ideias assim uma cidade, um estado ou um país.

1
QUEM É O ESTRANGEIRO?

Todos os anos, com hora marcada, um grupo de baleias parte em viagem, do sul para o norte. Em algum ponto no meio do vasto oceano, esses gigantescos cetáceos poderiam ver passar no céu bandos de aves que viajam na direção oposta, planando por dias nas correntes de ar, como se seguissem uma rodovia invisível.

Em terra firme, quando a seca começa a oeste, gnus, zebras ou girafas fogem para o leste. E quando as inundações ali têm início, são elefantes, cavalos e outros bichos que batem em retirada para qualquer lugar melhor do que aquele onde estavam.

Durante muitos séculos, nós, animais humanos, também nos movíamos pelo globo. Ao sabor das inundações e das secas, do verão e do inverno, ou mesmo movidos pela curiosidade e pela ambição de subir em montes mais altos, de ver o que havia além daquela ilha, daquele vale, nós e nossas famílias, nossos amigos e nossos vizinhos também empreendíamos longas jornadas marcadas por um instinto maior de sobrevivência. Desde a época em que vivíamos em cavernas, esse instinto nunca nos abandonou. Ao contrário, ele foi fundamental para que chegássemos aos dias de hoje.

Migrar é às vezes uma decisão difícil, mas que ajuda a superar adversidades. Saber mover-se e adaptar-se é algo vital. Seja pela busca por prados melhores, seja fugindo de dias piores, o movimento em direção ao novo é um traço tão fundamental dos animais — e do animal humano também — quanto a reprodução, a alimentação e a defesa.

Movimento é algo inato — ele nasce com a maioria dos seres. Num certo sentido, até mesmo as plantas se movem ao longo da vida. Plante uma touceira de lavanda num vaso de argila e verá como ela cresce na direção da luz, nunca da sombra. Seus ramos se desenvolverão naturalmente para o lado no qual os raios solares incidem. O que é isso, senão um movimento natural na direção do elemento tão indispensável à fotossíntese das folhas verdes?

Os que preferirem lançar sobre esse fenômeno um olhar ainda mais amplo poderão dizer até mesmo que as águas estão em constante movimento. Da mina onde brota até o desague no oceano, cada gotinha cumpre um trajeto ao longo do qual vence todo tipo de obstáculo, seguindo o sentido da gravidade e do fluxo. Cavando as pedras ao longo dos séculos, correndo sob o solo em volumosos lençóis ocultos, ou mesmo evaporando e se condensando na forma de nuvens que viajam por quilômetros e quilômetros, desaguando em algum ponto distante, essas moléculas passam a vida migrando. Nem mesmo uma poça d'água é tão estanque quanto parece.

Quem sabe possamos ver até nas rochas — possivelmente um dos elementos mais inanimados ao nosso redor — um passado marcado por movimentos. Afinal, também os enormes pedregulhos rolaram de um lado a outro, arredondando suas arestas, se transformando em terra e em areia com o passar dos milênios.

Se pensarmos que os continentes se moveram em algum momento — tão distante que foi até antes da existência dos dinossauros —, veremos que o próprio globo tal como o entendemos não é estático.

Por fim, sabemos hoje, com a ajuda da ciência, que, muito além dos limites do que podemos ver, o universo todo está em constante movimento de expansão.

Não só lá longe os planetas e estrelas se movem. Mesmo na sala de aula é possível ver exemplos do que poderíamos chamar de pequenos fluxos migratórios. Afinal, o que os professores fazem toda vez que descobrem que um determinado aluno tem dificuldade para ver a lousa, para ouvir o que está sendo dito ou para se concentrar no que é ensinado? Eles colocam esse aluno logo nas primeiras fileiras. O garoto se transforma num pequeno migrante — por que não? — dentro da sala de aula, ocupando um novo lugar, no qual terá mais chances de aprender.

O mesmo ocorre com os grupos inseparáveis de amigos que a todo custo tentam ocupar carteiras próximas umas das outras, formando grupinhos, patotas ou panelinhas. Queremos estar próximos das pessoas que nos fazem bem. Queremos estender o tempo prazeroso do recreio, dando seguimento ao bate-papo mesmo durante a hora da aula. Em grupos de iguais, nos sentimos aceitos e protegidos.

Estamos o tempo todo nos movendo, em bando ou sozinhos, em busca de melhores condições. Por certo, esses movimentos humanos não estão restritos ao tempo de escola. Eles continuam ao longo da vida. Os que têm o privilégio de seguir estudando irão provavelmente para uma universidade. Poderão tentar estender seus estudos em algum país estrangeiro. Buscarão centros de excelência nos assuntos que os fascinam.

Outros tantos estarão engajados a sério nos esportes, na música, na dança, nos infinitos caminhos do interesse humano. Em qualquer desses casos, todos provavelmente estarão atentos ao que se produz de conhecimento a respeito de um determinado assunto em outras partes do mundo. E, assim como o garoto que para enxergar melhor a lousa mudava de assento na sala de aula, cada um de nós também tentará conseguir uma posição melhor para ter acesso ao conhecimento necessário — o que significará, algumas vezes, mudar de país.

É dessa maneira que países se convertem em polos de atração para estrangeiros que buscam lugares onde possam desenvolver seus potenciais, onde tenham contato com outros profissionais ou onde haja estudantes dedicados a paixões comuns.

Foi dessa forma que Cuba se converteu num importante destino para pessoas do mundo todo que estudam artes visuais. Foi assim também que Moscou atraiu dançarinos clássicos, que os Estados Unidos assumiram a liderança nas pesquisas tecnológicas nas áreas da medicina e da computação, e que a Suíça, com a construção de um enorme acelerador de partículas encravado em túneis quilométricos, construídos sob as montanhas na fronteira com a França, passou a ser vista como o centro do mundo por estudantes de física nuclear de todo o planeta.

A busca por conhecimento, aprimoramento, novas experiências e oportunidades move o homem com a mesma potência que o instinto migratório faz com todos os outros animais.

As aves e os ruminantes, no entanto, seguem padrões fixos e previsíveis. Eles partem todos os anos na mesma direção, seguindo o ritmo ditado pelas estações do ano, pelo regime das chuvas e pela estiagem. Depois de chegarem ao destino, regressam ao ponto de partida. E, findo o ciclo de vida, será a vez de seus descendentes continuarem migrando, na mesma direção, com a mesma finalidade, sem grandes questionamentos sobre o porquê dessa ação.

Os homens são diferentes. Em sua enorme ambição e em sua complexa confusão criativa, estão sempre se perdendo e se reencontrando em destinos que, dependendo da conjuntura, lhes parecem mais ou menos promissores.

Até mesmo fatores subjetivos, como a paixão por uma pessoa de um país distante ou a simpatia por determinada cultura exótica, também são capazes de lançar cidadãos de partes diversas em aventuras geográficas erráticas. Não há um local a ser alcançado nessas viagens, e as possibilidades de destino são, em tese, infinitas.

AS EXPULSÕES QUE AS GUERRAS PROVOCAM

Todos esses são exemplos de movimentos, ou de migrações, motivados pelo desejo de saber, pela vontade de se realizar plenamente e de alimentar paixões. Entretanto, muitas vezes, somos forçados a migrar por fatores externos, até mesmo violentos.

É o que acontece, por exemplo, quando eclode uma guerra em alguma parte do mundo. Nessas circunstâncias extremas, as pessoas fogem de suas casas na tentativa de se proteger de ataques que, num piscar de olhos, transformam cidades inteiras em montes de escombros.

Nas guerras, a estrutura necessária à vida da população civil entra em colapso. Os tremores provocados pelo impacto dos bombardeios aéreos desconectam toda a tubulação de esgoto e de água limpa de uma cidade. Subitamente, os banheiros não funcionam e as torneiras secam. Ao sair de casa, as pessoas percebem que viadutos e pontes estão em ruínas. O sistema de transporte público não existe mais. As ruas e as estradas estão interrompidas por enormes crateras. À noite, não há mais energia elétrica. Todos passam a viver na escuridão.

Com as rotas interrompidas, logo começa a faltar alimentos. Os supermercados ficam desabastecidos. Os bancos não funcionam. Não há mais dinheiro em circulação. Não há internet e todos os canais de televisão ficam fora do ar. Escolas, clubes, centros comerciais, tudo fecha. E quando os ataques entre as partes em conflito provocam mortos e feridos, nem sequer os hospitais e cemitérios se encontram aptos a atender a população, pois faltam remédios, médicos e funcionários.

Muitas vezes, homens — mesmo os muito jovens — são recrutados para a frente de batalha. Mães sozinhas têm de arcar com a subsistência de filhos e de idosos. Famílias são separadas para sempre, parentes desaparecem sem deixar vestígios.

A guerra provoca um sofrimento indescritível. Diante desse quadro, os que ainda podem tentam fugir. Juntando os poucos pertences que restam, ou mesmo com a roupa do corpo, muitos civis empreendem longas travessias, muitas vezes a pé, em busca de um lugar seguro.

A primeira opção de abrigo costuma ser a casa de parentes que vivem no mesmo país mas em cidades mais afastadas da zona de conflito. A chegada súbita de novos moradores não apenas sobrecarrega o espaço físico da acomodação, como também muda toda a rotina e a vida econômica de quem recebe esses hóspedes inesperados.

Se a guerra continua a avançar, as casas distantes, que pareciam até então seguras, também são engolidas pela destruição. Isso faz com que as comunidades se ponham novamente em movimento. Empurradas pelo conflito, pessoas cruzam fronteiras procurando por proteção, deixando tudo o que lhes era familiar para trás: idioma, paisagem, amigos, hábitos, parentes e todos os seus pertences mais pessoais.

Há inúmeros exemplos de situações como essa. Só nos séculos XX e XXI, podemos nos lembrar da Segunda Guerra Mundial, que, entre 1939 e 1945, espalhou pelo mundo milhões de cidadãos europeus que tentavam escapar do conflito que devastou grande parte do Velho Continente. Em seguida, durante a Guerra Fria, que foi de 1945 a 1991, diversas guerras eclodiram pelo mundo, com grupos locais se enfrentando internamente, mas sempre respaldados com dinheiro, treinamento, armas e munições enviados pelos dois grandes atores de então: a União Soviética e os EUA.

Mais recentemente, a partir de 2010, uma onda de manifestações apelidada de "Primavera Árabe" varreu parte da África e do Oriente Médio, num movimento que reivindicava essencialmente mais liberdade e democracia. Um dos países onde esse movimento ocorreu com mais força foi a Síria. Entretanto, ao contrário do que ocorreu com países como o Egito e a Tunísia, o presidente sírio resistiu à pressão popular durante a "Primavera Árabe" e endureceu a perseguição a seus opositores para não deixar o poder. A escalada nas tensões levou a Síria a uma guerra civil. Como consequência, esse conflito espalhou pelo mundo 6,6 milhões de cidadãos sírios que deixaram seu país de origem buscando proteção no exterior — a maioria em países próximos, como Líbano, Turquia e Jordânia. Mas alguns deles chegaram até o Brasil. Mais precisamente, 3594 deles, que foram acolhidos no país formalmente como refugiados, entre 2011 e 2020.

Um desses sírios é Abdul Jarou, que chegou a São Paulo em 2014. Em uma entrevista que deu à Agência Brasil em março de 2021, Jarou disse que se sentia "brasissírio": metade brasileiro e metade sírio. "Não sou a mesma pessoa que vivia na Síria. Sou outra pessoa. Absorvi uma nova cultura, uma nova língua", disse ele, contando que adotou o Corinthians como time do peito e passou a ouvir música sertaneja, algo que ele nem suspeitava que existia antes de migrar.

Na Síria, Jarou estudava administração de empresas. Em São Paulo, teve de encontrar trabalhos no comércio, vendendo alimentos, e como motorista. Mais tarde, ele se tornou um dos organizadores da Copa dos Refugiados, um evento esportivo que reúne jogadores amadores de aproximadamente 39 nacionalidades diferentes no Brasil; muitos deles com histórias semelhantes à de Jarou, que preferiu encarar o desconhecido, do outro lado do Atlântico, a participar do alistamento obrigatório e matar outros sírios numa guerra que se arrasta há anos sem solução em seu país de origem.

PERSEGUIÇÕES POR RAZÕES POLÍTICAS OU RELIGIOSAS

Muitas vezes, as pessoas são perseguidas por sua forma de pensar. Certos governos não toleram que seus cidadãos tenham opiniões diferentes das de quem governa. Por isso, quando uma pessoa ou um grupo de pessoas assume uma posição contrária à do governante, tem início uma onda de repressão que pode levar à prisão, à tortura e à morte dos chamados dissidentes ou opositores.

Em toda a história, há registros de perseguições como essa. Governantes de esquerda já perseguiram dissidentes de direita, e o contrário já ocorreu também. O autoritarismo, a repressão e a violência não são exclusividade de um ou de outro setor ideológico. Basta procurar em livros, documentários, arquivos de jornais e filmes para ver como essas situações se repetem em diversos países, em diferentes épocas e com justificativas distintas.

Com o controle do Estado nas mãos, muitos governantes já mandaram tirar jornais de circulação, derrubar conexões de internet, proibir manifestações públicas e prender qualquer um que desobedeça. Em muitos desses casos, o Congresso e o Judiciário — que é responsável pela aplicação da lei — passam a estar controlados por um único governante ou pelo grupo político a que ele pertence.

Nessas situações, os dissidentes, que pensam diferente e se opõem ao governo, têm apenas duas opções: permanecer no país correndo o risco de serem presos e mortos, ou encontrar uma maneira de fugir.

Ainda que o mais comum seja que essas perseguições ocorram por razões políticas, há casos também em que são desencadeadas por motivos religiosos ou étnicos. Cristãos são perseguidos por governos muçulmanos em países como o Afeganistão e a Nigéria. Muçulmanos são perseguidos por nacionalistas hinduístas na Índia e por budistas em Mianmar, por exemplo.

O maior massacre ocorrido no mundo após o Holocausto de judeus na Segunda Guerra Mundial foi o genocídio de Ruanda, no centro da África, em 1994, quando membros de dois grupos étnicos diferentes, os tútsis e os hútus, se mataram num conflito que opôs vizinhos e colegas de trabalho, colegas de escola, colegas de missa, pessoas que se viam e conviviam todos os dias entre si. Anos de um ressentimento potencializado pelo domínio colonial belga desembocaram numa das maiores tragédias humanas de que se tem notícia.

Porém, o mais comum é a perseguição ligada à ideologia. Nas perseguições políticas, as pessoas são discriminadas e violentadas por sua forma de pensar, de ver o mundo e de se expressar. A Venezuela, país que faz fronteira com o Brasil, nos estados de Roraima e do Amazonas, é um exemplo negativo desse tipo de situação. Lá, um determinado grupo político — um setor de esquerda autodenominado "bolivariano" — chegou ao poder de forma democrática, em 1999, com a eleição do presidente Hugo Chávez. O setor derrotado, de direita, passou a agir para mudar os governantes e voltar ao poder.

Essa disputa entre direita e esquerda não foi travada apenas no campo democrático, em campanhas eleitorais, em debates e em protestos legítimos. Ela se degenerou em tentativas de golpe de Estado por parte da direita e em ações violentas para desestabilizar o governo. Essas ações foram rechaçadas por um aparato policial, militar e miliciano que, a serviço de um governo de esquerda, esmagou uma grande parte da oposição. O debate sobre quem deu início a essa espiral de intolerância e quem é o culpado pela desestabilização do país é legítimo, mas tornou-se também interminável, à medida que, com o passar dos anos, os dois lados acumularam uma extensa lista de queixas em relação a seus adversários.

O que importa, para efeito do debate sobre a imigração e o refúgio, é que 5,4 milhões de cidadãos venezuelanos tiveram de fugir do país porque simplesmente não conseguiam sobreviver num contexto de violência e instabilidade, que derivou em inflação, desemprego e pobreza. Pelo menos 800 mil venezuelanos espalhados pelo mundo tiveram reconhecida a condição de refugiados. Desse total, 46412 foram acolhidos no Brasil.

Um desses venezuelanos que se refugiaram no Brasil ao fugir da violência política na Venezuela é Oswaldo José Ponce Pérez. Em entrevista ao jornal *O Estado de S. Paulo*, em setembro de 2018, ele contou que era juiz de direito em seu país de origem e começou a ser perseguido pelo governo quando passou a tomar decisões nos tribunais que contrariavam o grupo que estava no poder. Em 2010, ele foi levado a julgamento num tribunal militar e em 2013 viu o filho ser assassinado no que ele acredita ter sido um ato de terror político para intimidá-lo.

O juiz venezuelano largou tudo e chegou a Boa Vista, capital de Roraima, em 2015. Ele conta que teve de trabalhar como auxiliar de mecânico e como artista de rua para conseguir dinheiro e pagar o aluguel do barraco onde morava. Só em 2018 ele conseguiu validar seu diploma de advogado no Brasil e passou a trabalhar ajudando outros venezuelanos com problemas migratórios no país.

EXPULSÕES QUE A NATUREZA PROVOCA

Situação semelhante é vivida pelas vítimas de grandes desastres naturais, tais como terremotos, furacões, erupções vulcânicas, inundações e tsunamis, ou mesmo sobreviventes de catástrofes tecnológicas, como vazamentos em usinas nucleares ou rompimentos de grandes barragens.

Alguns fenômenos são tão devastadores que seus efeitos perduram por gerações, mudam a paisagem e condenam à inutilidade terras que antes eram férteis. Isso ocorre, por exemplo, quando o mar avança sobre fontes de água doce e plantações. Na terra salobra nada cresce. Ou quando há vazamento de material radioativo e todo alimento produzido na região se torna impróprio para o consumo. Até mesmo os animais que se alimentam de plantas contaminadas podem espalhar essa contaminação a centenas de quilômetros dali, fazendo com que substâncias cancerígenas cheguem a outros seres, inclusive os humanos.

Como nas guerras, quem pode foge. Seja dentro do próprio país ou cruzando fronteiras internacionais, as vítimas de desastres buscam um jeito de reconstruir a vida longe dali. Mais uma vez, nasce uma onda de migração forçada.

Um exemplo disso é o que ocorre em algumas ilhas do Pacífico onde o aumento do nível do mar já afeta os moradores locais. Um caso desse tipo tornou-se mundialmente famoso em 2013, quando Ioane Teitiota deixou sua casa na ilha de Tarawa do Sul, capital de Kiribati, para pedir refúgio na Nova Zelândia. A população na ilha em que ele vivia passou de 1641 em 1947 para mais de 50 mil moradores em 2010. Isso ocorreu por causa do aumento da migração interna de pessoas que foram abandonando suas casas em outras ilhotas de Kiribati, à medida que o nível do mar subia, para tentar reconstruir a vida na capital, Tarawa do Sul.

O jovem Teitiota contou à rede britânica BBC que, com todo esse movimento populacional interno, a cidade dele foi inchando até tornar-se inabitável. Os índices de criminalidade explodiram e as condições de habitação se tornaram insalubres. Foi então que ele decidiu pedir refúgio na Nova Zelândia.

Um grupo de especialistas reunidos no Painel das Nações Unidas para Mudanças Climáticas estima que Kiribati e outras nações insulares do Pacífico podem se tornar inabitáveis até 2050. Esse fenômeno deve multiplicar histórias como as de Teitiota, que se tornou um dos pioneiros nessa infeliz situação, de reivindicar refúgio e proteção internacional por causa de desastres naturais.

EXPULSÕES QUE A ECONOMIA PROVOCA

Mesmo países com estruturas físicas intactas podem ruir por dentro. Graves crises econômicas provocam ondas de desemprego. Sem salário, trabalhadores não pagam as contas e não consomem. O dinheiro escasseia. Sem receita, empregadores demitem. Sem recolher impostos, o governo deixa de prestar serviços básicos. Sociedades injustas e desiguais convivem com taxas maiores de violência. A vida se torna insuportável e — assim como nas situações de guerra e de desastres — as pessoas migram na esperança de garantir a própria sobrevivência e de suas famílias.

No interior das fronteiras de um país, é comum que as pessoas se movam de uma cidade para outra ou de um estado para outro em busca de melhores oportunidades de emprego. Da mesma forma, é comum que pessoas nascidas num determinado país busquem melhores condições de trabalho em países vizinhos ou mesmo em países distantes.

A migração por razões econômicas é mais fácil e mais bem aceita quando envolve profissionais altamente especializados, com títulos acadêmicos e domínio de idiomas. Por outro lado, quando o migrante econômico é pobre, tem baixo nível de educação formal, não possui especialização nem domina o idioma do país de destino, as barreiras são maiores.

Os migrantes por razões econômicas podem ser um fator de dinamismo para a economia do país que os recebe: eles trazem consigo novos conhecimentos, uma nova cultura, novos pontos de vista e uma grande vontade de empreender. Além disso, quando absorvidos pelo mercado formal, recolhem impostos que financiarão, por exemplo, a aposentadoria dos trabalhadores que já estão inativos — e isso é muito importante para países em que o número de idosos é grande.

Por outro lado, esses migrantes econômicos podem representar uma ameaça aos olhos dos países que os recebem se usarem serviços públicos de saúde e de educação, não recolherem impostos, não forem absorvidos como mão de obra local ou mesmo se disputarem vagas com trabalhadores locais.

Os haitianos constituem um bom exemplo de fluxo migratório com esse perfil. No fundo, a situação no Haiti é complexa e mescla alguns fatores de instabilidade que vão além da questão meramente econômica. O país sofre com a recorrência de eventos naturais extremos, como terremotos e furacões, cujos efeitos devastadores são agravados pela fragilidade de um governo local que é disputado de forma violenta entre grupos políticos cujos agentes se misturam com o crime organizado.

Assim como ocorre com os sírios que fogem da guerra, com os venezuelanos que fogem de perseguições políticas e com os quiribatianos que tentam escapar do aumento do nível do mar, milhares de haitianos migram em busca de oportunidades econômicas que o Haiti não oferece. Mais de 50 mil deles tiveram o Brasil como destino final.

Gloriane Aimabree é uma dessas pessoas. Ela contou numa entrevista dada ao portal de notícias G1 que deixou sua cidade natal, Porto Príncipe, capital do Haiti, em 2010. Gloraine partiu sozinha para Manaus, capital do Amazonas, em território brasileiro, deixando no Haiti o marido e quatro filhos. Ela fez a viagem sozinha porque o trajeto era longo, incerto e perigoso. Como muitos imigrantes econômicos fazem, preferiu se certificar de que teria alguma estrutura no local de destino, para só então trazer a família.

Em seu país natal, ela era professora. Mas, quando chegou em Manaus, teve de vender rosquinhas na rua para conseguir algum dinheiro. Em seguida, passou a trabalhar na Casa de Apoio às Crianças Filhas de Migrantes na capital do Amazonas, onde cuidava de dezoito filhos de outros imigrantes haitianos que tinham chegado à cidade. Com o tempo, depois de aprender o idioma, fazer contatos e conseguir empregos, ela pôde pensar em trazer a família que ficou no Haiti.

QUALQUER UM DE NÓS PODE SER UM MIGRANTE

Ninguém no mundo pode se sentir completamente a salvo dessas tragédias. Por isso mesmo, todos deveriam considerar a possibilidade de estender a mão aos que sofrem desses males. Mas não é isso o que acontece. O migrante — sobretudo quando migra em situação desfavorável — é frequentemente visto com repulsa.

Não é muito diferente do que acontece quando viajamos de ônibus e, inesperadamente, o veículo reduz a velocidade. Aos poucos, o motorista vai para o acostamento da pista. O ônibus então para sem explicação. Alguns passageiros tiram seus fones de ouvido, outros fecham seus livros. Os que estavam dormindo despertam. A porta se abre. Todos aguçam a audição na tentativa de entender o vozerio lá fora. E o ônibus de repente é inundado por uma leva de novos passageiros.

Logo fica claro que algum outro veículo da mesma companhia teve uma pane na pista e, por conta do imprevisto, os passageiros têm de se acomodar numa nova situação e viajar de pé, chacoalhando até o destino final. Certamente, não é o ideal. Mas é melhor do que ficar dentro de um ônibus quebrado ou de pé, na pista, ao relento.

Os novos passageiros se sentem de alguma maneira aliviados com o resgate. Porém, os anfitriões se incomodam. Sabem que estão ajudando, mas os recém-chegados parecem tão estranhos — ruidosos, agitados, desastrados, incômodos. No fundo, eles não são em nada diferentes de nós, que estamos sentados. Foram apenas tomados por um infortúnio. Porém, os vemos como "o outro", como alguém essencialmente diferente de nós.

De uma forma estranha, o ônibus se divide então entre "nós" e "eles". Os que estavam sentados se sentem parte de um grupo que tem algo em comum. E os que estão de pé, recém-embarcados, também formam um grupo. Eles são estrangeiros naquele ambiente.

É até mesmo possível que os passageiros que se encontravam originalmente sentados passem a compartilhar comentários entre si a respeito do quão incômodo é o novo arranjo emergencial. A cada desconforto provocado pelo grupo de "passageiros estrangeiros", os laços que unem os "passageiros anfitriões" serão reforçados, despertando uma espécie de solidariedade mútua que tenta defender os direitos dos que já estavam a bordo, realçando o rechaço aos recém-chegados.

QUEM É O ESTRANGEIRO?

Esse tipo de situação corriqueira revela algo mais profundo sobre nós e sobre a forma como nos fechamos em grupos de iguais, excluindo todo aquele que nos parece estranho, ou estrangeiro. A psicologia nos ensina que a construção da ideia do estrangeiro em nossa cultura é algo ligado à própria definição de identidade.

A exclusão dos diferentes reforça os laços de identificação e de união entre os iguais. Não é difícil entender isso quando olhamos, por exemplo, para torcidas de times de futebol. Quanto maior a rivalidade com a torcida do time oponente, maior será a união do seu próprio grupo. Ou seja, o "outro" reforça, por contraste, o "eu".

Esse tipo de comportamento em relação ao outro, ou ao estranho, ao estrangeiro, poderia ser apenas um dos muitos mecanismos de defesa que possuímos. Porém, para Sigmund Freud, pai da psicanálise, é sempre possível unir os homens desde que alguns sejam deixados de fora, ainda mais considerando que a agressividade no ser humano não é apenas uma reação de defesa contra o perigo, mas é algo que está no próprio âmago do desejo, como um instrumento e uma fonte de prazer.

Para a psicologia, a repulsa ao estrangeiro parece ser um traço tão constitutivo do ser humano quanto o próprio desejo, ou necessidade, de migrar. São como duas faces da mesma moeda: o que parte e o que vê chegar, o que migra e o que hospeda. Assim também acontece em relação ao que integra e ao que segrega, ao que acolhe e ao que repele.

Constatar o enraizamento desses problemas não apenas em nossa cultura, mas em nossa própria mente, pode ser algo desalentador. Afinal, todos nós, como humanos, trazemos dentro de nós essas características.

Talvez por isso tenhamos criados as fronteiras, as bandeiras, as alfândegas. Elas não são mais que expressões tangíveis de concepções mais profundas. Afinal, não é apenas a existência de uma polícia migratória que torna os humanos cruéis com os imigrantes. Na verdade, por termos na repulsa ao estrangeiro um traço constitutivo de nossa personalidade é que investimos em caros e sofisticados maquinários policiais e burocráticos, mantendo o estrangeiro afastado, depositando nele nossos medos e nossas frustrações.

O estrangeiro aparece então como aquele que rouba empregos, que subverte valores morais, que corrompe a cultura local, que desvirtua a identidade, é demasiado estranho ou inadequado, ocupa muito espaço, muda a paisagem urbana, traz o risco de atentado, profana crenças e por aí vai, carregando toda sorte de acusações negativas.

O que fazia da migração um estado natural imaginado, um direito quase absoluto — o de mudar ao sabor das necessidades, assim como qualquer outro animal se move livremente pelo mundo —, passa a ser, em vez disso, um complexo exercício burocrático, jurídico e político, que desafia a lógica: cabe ao imigrante provar que tem o direito a migrar. É isso, afinal, que lhe pedem antes da concessão de um visto. E, a depender da razão alegada por ele, as portas, que são em princípio fechadas, se abrem. Ou não.

2

GRANDES MIGRAÇÕES ATRAVÉS DOS TEMPOS

Iniciamos há pouco um século novinho em folha. Ao virar o calendário no último dia do ano 2000, entramos no século XXI. Pergunte aos seus pais e avós que imagem eles faziam desse século quando eram crianças e eles certamente dirão algo sobre naves espaciais, skates voadores e viagens interplanetárias tão fáceis e frequentes quanto uma ida à padaria.

Basta olhar pela janela agora para ter certeza de que nada disso se concretizou — pelo menos, não da forma como era pintado em quadrinhos e em filmes. Entretanto, outros inventos, que sequer eram imaginados no passado, surgiram para nos surpreender.

Veja, por exemplo, a internet. Anos atrás, para enviar uma mensagem a alguém, era preciso pegar papel e caneta, escrever uma carta, dobrá-la e colocá-la dentro de um envelope. Em seguida, era necessário colar nesse envelope um selo ou dois, deslocar-se fisicamente até uma agência dos Correios para, só então — ufa! —, postar a carta e esperar alguns dias até que o destinatário a recebesse. Tudo isso podia levar dias ou até semanas.

Atualmente, basta apertar um par de botões num aparelho celular do tamanho do bolso da sua calça para que uma mensagem de texto ou de voz alcance seu interlocutor numa fração de segundo, em qualquer lugar do mundo.

A velocidade com que as coisas mudam é espantosa. Mas, por mais rápidas e incríveis que sejam essas mudanças, nós continuamos atrelados de várias maneiras ao passado. Não apenas ao passado mais imediato, como ontem ou o ano retrasado, mas a um passado muito, muito distante, do qual nós mesmos não temos lembrança, pois não estávamos lá para vê-lo.

Os exemplos são muitos. Pense, por exemplo, na língua que você fala ou na comida que você come. Ambos têm em sua essência conhecimentos ancestrais que foram repassados por várias gerações. E, assim como você recebeu essa herança ao longo da vida, também se encarregará de passá-la adiante para seus filhos, amigos mais novos ou mesmo netos.

Essa corrente de transmissão se mantém vigente desde o início dos tempos. Isso faz com que sejamos, todos nós, uma mistura de descobertas e de lembranças, de novidades e de antiguidades. Por isso é tão importante sabermos de onde viemos. Nossa origem nos ajuda a entender em parte o que somos hoje e para onde vamos no futuro.

Estamos agora no ano 2000 e qualquer coisa. Para grande parte da humanidade — incluindo nós, que vivemos nessa porção do mundo chamada Brasil —, essa contagem dos anos tem como referência a data atribuída ao nascimento de Jesus Cristo. Funciona assim: o nascimento de Cristo marca o ano 1. Nós estamos hoje, portanto, mais de 2 mil anos à frente da data atribuída ao nascimento dele. É assim que os anos são contados por aqui.

Já os fatos ocorridos antes do nascimento de Cristo funcionam na ordem inversa: quanto maior o número, mais distante está do ano 1. Assim, um fato ocorrido há 2 mil anos antes de Cristo está mais distante dos dias atuais do que um fato ocorrido há cem anos antes de Cristo.

Mesmo os que não seguem a fé cristã estão sob um regime de contagem de tempo nesses moldes. Vamos, então, visitar um fato ocorrido por volta do ano 27 antes de Cristo. Estamos falando, portanto, de algo que se deu há bem mais de 2 mil anos.

ECOS DO IMPÉRIO ROMANO

Existiu nesse tempo um império gigantesco, que abarcou o que se considerava então o centro do mundo comercial, cultural e político. O Império Romano se espalhou por vastas porções da Europa, da África e do Oriente Médio, banhadas pelo mar Mediterrâneo, além de estender suas possessões até a Ásia. Durante quase mil anos, os romanos solidificaram seus domínios, subjugando diferentes povos pelo caminho.

Vestígios físicos dessa civilização são visíveis ainda hoje em vários países. Alguns dos enormes portais que guardavam os limites de cidades romanas permanecem de pé em importantes capitais europeias atuais, encravados no meio de rotatórias de avenidas movimentadas, ou nas ruínas de aquedutos, balneários e fortificações.

Mas há uma herança dos romanos que se faz ainda mais presente que as ruínas físicas, de tijolos e pedras. Muitos conceitos criados naquele tempo se encontram presentes na nossa forma de pensar, na nossa forma de ver o mundo e de organizar a sociedade em que vivemos. Uma área onde isso é especialmente visível é no direito, entendido como o corpo de leis que rege as relações entre as pessoas, os governos e as diversas organizações públicas e privadas dentro de um país, e entre diferentes países também.

O "direito romano" não foi simplesmente importado para o nosso tempo. Não se trata de uma cópia feita numa máquina de xerox e repassada de mão em mão ao longo de mais de 2 mil anos. Na verdade, a influência dessa herança ecoa em nossa cultura. É exatamente como quando damos um grito dentro de uma caverna ou na beira de um vale. Formando duas conchas com as mãos, as colocamos ao lado da boca e gritamos bem forte: "Eco!". O som se repete diversas vezes, perdendo a clareza e a intensidade até desaparecer por completo. A transmissão do "direito romano" até os nossos tempos se dá de maneira parecida. Não temos a palavra inteira, tal qual ela havia sido pronunciada na origem, mas temos repetições enfraquecidas e distorcidas, que ainda podem ser percebidas em nossos dias. O estudo dessa herança é, então, uma forma de entender a propagação desse eco e a evolução dos conceitos que esse grito original lançou no ar.

Um desses conceitos trata exatamente do estrangeiro. Para o Império Romano, todo estrangeiro era um inimigo por sua própria natureza. Isso significa que, mesmo que não tivesse cometido qualquer ato hostil contra Roma, ele era, mesmo assim, um inimigo, pelo simples fato de ser de outro lugar.

Um império tão vasto, que cobria enormes porções do mundo, tinha dentro de si uma variedade imensa de tipos humanos. As mais diferentes religiões, etnias e culturas eram incorporadas dentro dos limites romanos à medida que o império se expandia. A cada nova campanha militar, Roma ampliava seus domínios e, com isso, engolia outros povos para sua própria órbita política.

Há mais de 2 mil anos, na época em que Jesus nasceu, a Europa vivia enormes ondas migratórias. Vândalos, anglos, visigodos, ostrogodos e outros povos se moviam pelo continente, levando a choques de diferentes culturas. Para os romanos, esses povos eram "bárbaros". A palavra, em grego antigo, significa "estrangeiro".

Os romanos, num movimento permanente de ampliação de suas fronteiras, não podiam ver os estrangeiros de outra forma que não fosse a de um povo a ser conquistado, ou de uma ameaça a ser debelada. O mundo, para eles, se dividia, então, entre os povos bárbaros que já tinham sido subjugados e os que ainda seriam.

O estrangeiro era alguém contra quem se dirigiria a força, com a intenção de vencer, de ocupar e de conquistar. Uma vez derrotado militarmente e incorporado ao império, esse estrangeiro passava a gozar da proteção de Roma. Em troca, pagava impostos e reconhecia a autoridade do imperador romano. É como se Roma funcionasse como um enorme monstro que se alimentava de porções cada vez maiores de terras e também de pessoas.

O apetite do monstro funcionava a maior parte do tempo numa única direção: pegava pessoas de fora e, ao dominar suas terras, passava a mantê-las dentro de seu organismo. Porém, numa circunstância muito específica, ocorria o inverso: cidadãos romanos podiam ser convertidos em estrangeiros, como se eles tivessem sido vomitados ou cuspidos para fora do império.

Chamar um cidadão romano de estrangeiro era convertê-lo em inimigo. Essa era a mais grave punição prevista à época. Um criminoso era declarado *hostis judicatus*. Se a ofensa fosse grave, ele era convertido em *hostis alienigenae*. A semelhança entre as palavras *alienigenae* e alienígena não é à toa. É isso mesmo: o inimigo de Roma era declarado um alienígena, um desconhecido, um estranho a ser repelido, expurgado, expulso.

BÁRBAROS E EXTRATERRESTRES

No início, muito antes do Império Romano, nas sociedades primitivas, era crime matar uma pessoa da própria família. Mas matar alguém de outra família podia. Depois, passou a ser crime matar alguém da própria tribo. Mas matar alguém de outra tribo podia. Em seguida, passou a ser crime matar alguém da mesma cidade e, só então, do mesmo país. Isso mostra como foi sendo ampliada a noção de quem é nosso inimigo por essência. O estrangeiro como inimigo, como ameaça à nossa sociedade, foi se transformando em alguém cada vez mais distante à medida que nossos núcleos sociais, nossos grupos de iguais, foram se tornando cada vez maiores e mais complexos.

Filmes americanos costumam mostrar isso muito bem. O tempo todo, mocinhos lutam contra bandidos. Às vezes, são soldados contra terroristas, ou países "bons" contra países "maus". Mas basta aparecer uma ameaça alienígena para que o mundo passe a ser retratado como um grande grupo de iguais cujo único inimigo é o ET — afinal, ele é o estrangeiro realmente diferente de todos os terráqueos.

Ainda que involuntariamente, esses filmes ilustram as constatações de psicanalistas como Sigmund Freud e Jacques Lacan, quando eles diziam que é sempre possível erguer grupos harmônicos e amorosos, com a condição de que haja alguém do lado de fora para ser tratado como o estranho da turma. Na era dos romanos, o estranho era um inimigo por sua própria essência. Independentemente da conduta que o estrangeiro tivesse, ele sempre era visto como uma ameaça, assim como os ETs em alguns filmes de Hollywood.

É impressionante ver como um raciocínio tão primitivo quanto esse do direito romano em relação aos estrangeiros se manteve ao longo de tantos séculos — talvez não literalmente, nas nossas normas vigentes, mas pelo menos na forma de pensar de muitos governantes. É como se eles fossem captando o eco dessas ideias através dos tempos.

Um dos exemplos mais extremos de como esse raciocínio se manifesta está na escravização dos povos africanos. Perceba que agora demos um enorme salto no tempo, deixando o Império Romano para trás e visitando um período aproximadamente 1500 anos depois — algo, na verdade, até mais próximo dos dias de hoje do que do tempo dos romanos.

No ano de 1492, Cristóvão Colombo chegou ao nosso continente, num evento apelidado de maneira ainda hoje muito controversa como "descobrimento da América". Apenas oito anos mais tarde, outro navegador, Pedro Álvares Cabral, aportaria onde hoje é a Bahia, na costa nordeste do que chamamos atualmente de Brasil.

Para esses navegantes do século XV, a Europa era o ponto de partida, o centro do mundo. Sair de lá em barcos movidos à vela e chegar à América, meses depois, era como aterrissar uma nave em outro planeta, completamente desconhecido. Tanto assim que as terras às quais eles chegaram foram apelidadas de Novo Mundo. Para esses homens, os indígenas que aqui viviam eram povos bastante estranhos.

Do ponto de vista dos exploradores europeus, o indígena é que era o "estrangeiro", naquele mesmo sentido que os romanos empregavam a palavra. As tribos recém-descobertas viviam fora não apenas dos limites físicos do mundo conhecido, mas também dos limites culturais, pois falavam outra língua, usavam outras roupas e acreditavam em outros deuses. Aquelas eram pessoas diferentes em sua própria essência, inimigos "conquistáveis", não pessoas iguais.

A ESCRAVIDÃO PERPÉTUA

No mesmo ano da chegada de Colombo à América, em 1492, o papa Nicolau V, líder máximo da Igreja católica em todo o mundo, publicou um documento que tratava precisamente dessas "novas pessoas", dos estrangeiros encontrados nas "novas terras". Esse documento fazia referência a todo povo considerado "pagão", uma expressão antiga usada para se referir aos infiéis, aos que não haviam sido apresentados ao Deus católico.

Todo "pagão" foi declarado inimigo. Os povos nativos nas Américas, assim como os negros na África e os muçulmanos no Oriente Médio, não seguiam a fé cristã, não deviam obediência à Igreja e aos reinos europeus, logo, eram infiéis, povos sem alma — no sentido que a Igreja atribuía à alma —, estavam prontos para serem atacados, invadidos e escravizados, com autorização não apenas da Justiça da época, mas também do próprio Deus, que, de acordo com a Igreja, se manifestava por meio das normas emitidas pelo papa.

Essas normas foram publicadas por Nicolau V numa bula papal intitulada *Dum diversas*. Seu texto afirmava nada menos que o seguinte: "Outorgamos por estes documentos presentes, com a nossa Autoridade Apostólica, permissão plena e livre para invadir, buscar, capturar e subjugar sarracenos e pagãos e outros infiéis e inimigos de Cristo onde quer que se encontrem, assim como os seus reinos, ducados, condados, principados, e outros bens [...] e para reduzir as suas pessoas à escravidão perpétua".

Era o representante de Deus emitindo uma lei na qual pregava a "escravidão perpétua" de todas as pessoas que fossem estranhas à Igreja. Se os pagãos não se curvavam à fé cristã, não havia problema algum em subjugá-los. Não eram, afinal, gente. Não eram gente como a gente, como se diz popularmente hoje em dia.

A bula papal *Dum diversas* mostrou-se útil no momento do chamado descobrimento, quando o homem branco travou o primeiro contato com os habitantes das Américas. Ela foi uma ferramenta de conquista, usada durante parte do processo de colonização do chamado Novo Mundo, pois tornou possível para as potências europeias escravizar a mão de obra que viria a ser usada aqui durante séculos.

No primeiro contato dos colonizadores europeus, havia no Brasil milhões de indígenas. A partir de 1500 esses povos foram dizimados gradativamente e de forma contínua até chegar à população atual, que é calculada em aproximadamente 800 mil indivíduos. Grande parte dessa mortandade foi provocada pela transmissão de doenças trazidas pelos europeus recém-chegados, e para as quais os nativos não tinham defesa biológica. As infecções por sarampo, catapora e coqueluche — hoje consideradas doenças de fácil tratamento ou controladas por vacinas —, além da varíola, da difteria e do tifo, acabaram por se revelar fatais.

Os colonizadores europeus também escravizaram mão de obra indígena e, numa política de construir alianças com tribos consideradas mais amistosas, fomentaram guerras internas entre os povos que aqui viviam. Muitos indígenas foram, por fim, catequizados na fé cristã, transformados em vassalos úteis e convertidos em serviçais.

Além de empregar braços indígenas em sua expansão colonialista, os conquistadores europeus também trouxeram para cá milhões de africanos escravizados, que vieram arrastados à força de chicotes, correntes e outros instrumentos de tortura, sendo arrancados da própria terra, de suas famílias e de sua cultura para servir como mão de obra.

A América do Sul — e o Brasil, em particular, no período em que foi colônia de Portugal (1530-1822) — converteu-se num dos principais destinos dessas populações. Entre 8 milhões e 11 milhões de pessoas foram trazidas à força para o continente no período do tráfico negreiro, sendo 4,9 milhões delas para o Brasil.

Em 1584 — apenas 84 anos depois da chegada de Cabral — havia no Brasil 25 mil brancos, 18 mil indígenas que viviam sob a dominação portuguesa e 14 mil negros escravizados. Portanto, para cada dupla de brancos livres, havia um negro escravizado, trazido contra a sua vontade.

A MAIOR IMIGRAÇÃO FORÇADA DA HISTÓRIA

A imigração forçada da população negra é considerada a maior já existente em toda a história da humanidade. Nunca tantas pessoas foram transportadas contra sua vontade por distâncias tão enormes e por tanto tempo. Esse é, portanto, um exemplo extremo de migração forçada, na qual uma pessoa é caçada em sua própria terra e arrancada para nunca mais voltar.

Há uma coleção de fatores econômicos, políticos e sociais que, combinados, explicam a existência da escravidão em nosso período colonial. Alguns desses fatores se extinguiram hoje, porém ecos dessa forma de pensar ainda estão presentes. Note o seguinte: quanto mais o outro é alguém estranho a mim, mais fácil se torna negar a ele os direitos que protegem os meus iguais. Ou, dito de forma mais simples: dificilmente seremos tão brutais com nossos semelhantes quanto nos permitimos ser com os que nos parecem diferentes. A desumanização do outro passa necessariamente pelo reforço dessas distinções. O outro crê num Deus diferente, fala outra língua, tem uma cor diversa? Então, ele é estranho demais, estamos irreconciliavelmente separados.

Nós criamos as instituições e as ferramentas que tornaram possível a existência de um fenômeno tão brutal quanto a escravidão. Nós demos a elas a função de levar a cabo atitudes que considerávamos razoáveis dentro do contexto em que vivíamos.

Portanto, o fato de que não existem mais monarquias como aquelas ou de a Igreja não ter o mesmo poder de antes não faz com que os elementos que nos levaram àquela realidade, quinhentos anos atrás, tenham se extinguido por completo. Dificilmente veremos um político defender hoje que voltemos a enfiar milhões de pessoas à força dentro de navios, para submetê-las, sob tortura, a trabalhos insalubres e sem remuneração do outro lado do mundo. Entretanto, volta e meia somos lembrados de que, até os dias atuais, vivemos ao lado de contemporâneos nossos que consideram o racismo justificável. O mesmo vale para formas contemporâneas de escravidão. Essas pessoas não terão problema em reinventar instituições e ferramentas que tornem possível reviver realidades como aquela, ainda que em escala reduzida ou sob outros nomes mais modernos.

Hoje, gostamos de olhar com simpatia para o "mosaico de raças e cores que formam o Brasil", como se ele fosse o resultado bem pensado de uma convivência harmoniosa ao longo de todo o período de formação do nosso país. A escravidão mostra que não é bem assim. Somos o resultado de sucessivas ondas que oscilavam entre integração e segregação. Essas ondas não apenas continuam até os dias de hoje, como seguirão através dos tempos, mudando continuamente a percepção sobre quem somos.

Além dos negros do continente africano, dos povos nativos que já viviam aqui e dos portugueses que, como se diz, "descobriram" o país, o Brasil também recebeu diversas levas de imigrantes de outros cantos da Europa e até mesmo de pontos ainda mais distantes, como a Ásia.

QUANDO AS NOSSAS BISAVÓS ENTRAM EM CENA

Vamos falar de algo que acontecia no Brasil em 1840, portanto há mais de 170 anos. Não é o tempo de seu pai ou de seu avô, mas talvez tenha sido o tempo em que vivia por aqui o avô do bisavô do seu avô. Pode ser engraçado pensar nisso. Consegue imaginar?

Naquele tempo, esse seu parente longínquo devia andar maravilhado com uma novidade que começava a ganhar espaço no Brasil: os trens movidos a vapor. Para que essas máquinas incríveis — que, sob o ponto de vista das pessoas de então, pareciam bastante futuristas — pudessem se locomover, era preciso que fossem construídas as linhas férreas sobre as quais seus vagões andariam.

A construção dessas linhas marcou uma fase inicial importante do processo de industrialização do Brasil, ao lado da construção civil, que é a construção de casas, pontes, escolas, armazéns e fábricas.

A escravidão dos negros no Brasil durou até 1888. Essas novas fábricas que vinham sendo erguidas então precisavam contar com outro tipo de mão de obra para trabalhar nelas. E os produtos feitos ali precisavam de compradores que tivessem salários para adquiri-los.

Os dados do crescimento da indústria nesse período são impressionantes. Veja que, entre 1880 e 1884, foram abertas 150 novas fábricas no Brasil. Em 1907, esse número foi multiplicado em mais de vinte vezes e, em 1929, era 183 vezes maior! Ora, tantas indústrias precisavam também de um grande número de operários para trabalhar nelas. E a enorme quantidade de produtos que saía dessas fábricas precisava também de muitos trabalhadores assalariados e que tivessem dinheiro para consumir.

Foi esse cenário — somado aos estímulos do governo brasileiro — que tornou o país um destino convidativo para milhões de imigrantes que deixaram seus países de origem, sobretudo na Europa, em busca de uma nova vida. Em 1912, 60% dos operários do setor têxtil de São Paulo eram italianos, provenientes principalmente de Nápoles, do Vêneto, da Sicília e da Calábria. Além deles, chegaram também espanhóis, portugueses, poloneses e gente de outros países da Europa.

A ATRAÇÃO E A REPULSA AOS JAPONESES

Outra migração de peso nesse período foi a japonesa. Os dois países, Brasil e Japão, fizeram um acordo por meio do qual famílias japonesas que viviam uma situação econômica difícil em seu país de origem pudessem se empregar em nosso país, principalmente em atividades agrícolas. Assim, no dia 18 de junho de 1808, aportou na cidade de Santos, no litoral de São Paulo, um navio de bandeira japonesa chamado *Kasato Maru*. Ele trazia 786 pessoas, 165 famílias de agricultores.

Ao longo dos sete anos seguintes, o Japão enviaria 14 893 novos imigrantes. E outros 164 mil entre 1917 e 1940. Acordos semelhantes foram feitos na mesma época pelo governo japonês com o Canadá e com o Havaí. A diferença é que, no Brasil, a imigração japonesa estava baseada na unidade familiar. Cada contrato de trabalho previa o fornecimento de pelo menos três adultos para trabalhar na lavoura. Por isso, muitos recorreram às chamadas "famílias compostas", nas quais eram integrados parentes distantes para formar um núcleo empregável.

A adaptação, no entanto, não foi fácil. E, apenas um ano depois da chegada da primeira leva de 786 imigrantes no *Kasato Maru*, apenas 191 deles permaneciam nas fazendas para as quais haviam sido destinados originalmente.

As dificuldades de adaptação eram muitas. Elas começavam pelo idioma e passavam pelos hábitos alimentares. Os japoneses nunca tinham visto na vida a mistura de feijão com arroz, prato básico da culinária brasileira. Para eles, o feijão sempre havia sido matéria-prima de delicados doces.

Mas a diferença cultural era apenas um dos entraves. Dentro do Brasil, havia os que se opunham à presença japonesa, como se eles fossem propagar uma cultura estranha demais, e como se a possibilidade de mistura genética entre os dois povos representasse uma ameaça para nós. Podiam ser ouvidos nesses discursos ecos da visão que colocava o estrangeiro como bárbaro e inimigo em essência. Em 1934, o deputado federal mineiro Fidélis Reis liderou o que ele mesmo chamava de uma cruzada contra o "perigo amarelo". Reis se orgulhava de ter sido o autor do "primeiro projeto de lei antijaponês" no Brasil.

A situação piorou ainda mais na Segunda Guerra Mundial, pois Brasil e Japão lutaram em lados opostos. A entrada brasileira nesse conflito foi antecedida pelo crescimento de um nacionalismo exacerbado, que, para enaltecer as vantagens nacionais, depreciava o que, e quem, vinha de fora. Em agosto de 1938, o então presidente Getúlio Vargas baixou um decreto que proibia a edição de materiais em língua estrangeira sem que esses materiais fossem submetidos à aprovação prévia do Ministério da Justiça.

Em 1943, Vargas obrigou a remoção de todos os japoneses que vivessem numa área de cinquenta quilômetros de distância da costa. Mais de 4 mil imigrantes japoneses tiveram 24 horas para reunir seus pertences e subir a bordo de trens disponibilizados pelo governo, que os levaram para o interior.

O governo temia que membros da comunidade passassem sinais de luz e de rádio para submarinos inimigos que navegavam em busca de alvos na costa brasileira. A remoção dos japoneses foi violenta. Muitos deixaram pertences pessoais para trás, ou tiveram de vendê-los nas ruas, às pressas e a preço de banana.

A escola da comunidade japonesa em Santos foi fechada e, em 1946, um ano após o fim do conflito, foi tomada pelo governo brasileiro, como espólio de guerra. Tardou mais de setenta anos até que a presidência da República voltasse atrás nessa expropriação. Só em dezembro de 2016 é que o governo brasileiro restituiu o casarão aos imigrantes japoneses.

Hoje, São Paulo tem a maior colônia japonesa fora do Japão. Turistas que visitam a cidade valorizam a herança culinária trazida por esses imigrantes desde o início do século XX, mas muitos ignoram os lances conturbados que essa integração envolveu.

O que esse breve olhar sobre alguns movimentos migratórios ao longo dos séculos nos mostra é a dificuldade — não a impossibilidade — que temos em acolher os que são percebidos como diferentes de nós. Mas a história nos ensina o quanto temos a aprender com o outro. Basta olhar ao redor para constatar todas as mudanças que cada leva de imigrantes trouxe para o Brasil.

Desde 1500, povos de todas as partes do mundo aportaram por aqui trazendo suas histórias, ideias, culturas, religiões, tecnologias e ambições. Essa integração teve por certo capítulos violentos, como o extermínio de povos indígenas e a escravidão. Por outro lado, é impossível pensar no Brasil de hoje sem reconhecer a contribuição positiva que as diversas culturas tiveram e seguem tendo em nossa história.

Só isso já deveria bastar para mantermos uma atitude respeitosa, receptiva e aberta a tudo o que os estrangeiros têm a nos ensinar, e a tudo o que nós, quando na condição de estrangeiros, temos a aprender com quem nos recebe também.

3
NA PELE DE
UM REFUGIADO

Em nosso mundo, existem quase duzentos países. Quanto mais aprendemos sobre eles, mais descobrimos a vastidão de nossa própria ignorância a respeito dos diferentes idiomas e das infinitas trajetórias históricas de povos, religiões, culinária, gostos, costumes e valores que existem por toda parte.

É bem verdade que, com a internet e com as centenas de canais de televisão existentes, nos aproximamos a todo instante de alguma realidade que nos era até então completamente desconhecida. Há canais que se especializaram em pequenos documentários a respeito do modo de vida de lenhadores barbudos que passam invernos rigorosos instalados em cabanas perdidas no meio de vales nevados, ou de esguios habitantes que buscam alimentos trepados na copa de árvores em densas florestas tropicais; ou de tribos nômades que vagam montadas em camelos ou dromedários, atravessando vastas extensões de desertos feitos de dunas, silêncio e nada mais. Dessa forma, para a maioria de nós, que podemos apenas sonhar com a chance de um dia conhecer todos esses lugares, a televisão e a internet acabam funcionando como uma espécie de janela eletrônica, através da qual podemos pelo menos tomar conhecimento da existência de outras realidades.

Porém, mesmo com todos os recursos tecnológicos disponíveis, vemos não muito mais do que a superfície de outras culturas. Ainda que passemos um final de semana inteiro em outra cidade ou trinta dias de férias em outro país, é difícil entender como realmente funcionam essas sociedades, damos apenas uma breve espiadela e nada mais.

Para abarcar toda a imensidão do mundo, talvez possamos fazer uso de um pequeno truque, tomando como inspiração o trabalho de engenheiros, arquitetos e cartógrafos. Quando esses profissionais precisam desenhar estruturas gigantescas, como um prédio, uma cidade ou mesmo o planeta Terra inteiro, eles recorrem ao uso de uma escala. Dessa forma, conseguem representar realidades enormes em desenhos bem pequenos, do tamanho de uma folha de papel. Nessa folha, cada centímetro ou milímetro corresponde a um metro ou a um quilômetro do mundo real, dependendo da escala que o autor do mapa ou da planta tenha decidido empregar em seu desenho.

Nós podemos fazer o mesmo agora. Podemos simplificar os diversos países, suas culturas e suas fronteiras de maneira a tornar essa vastidão apreensível. Vamos reduzir a escala da realidade e pensar que o mundo todo é apenas um bairro da cidade na qual cada um de nós vive atualmente. Nesse bairro, cada país corresponde a uma casa ou a um edifício. Os moradores e funcionários de cada um desses prédios são como os cidadãos dos países, e as ruas e avenidas são estradas ou mares que conectam as diferentes nações. Cabem aí os lenhadores barbudos, os aborígenes tropicais e os tuaregues do deserto, vivendo, assim, a poucas quadras de distância uns dos outros.

Prédios comerciais enormes, com várias torres e elevadores, cheios de funcionários, portarias, catracas e seguranças, correspondem às grandes potências do mundo capitalista. Edificações grandes assim poderiam ser países como os Estados Unidos ou a Alemanha, onde os moradores vivem com conforto, mas o acesso para quem vem de fora é controlado e restrito.

Há nesse bairro também prédios pequenos onde funcionam cortiços superlotados, com quartos mal iluminados, equipados com beliches, nos quais lâmpadas frias pendem da fiação do teto, com banheiros de uso compartilhado no corredor, roupas penduradas em arames e eventuais brigas entre os condôminos. Há no mundo um bom número de países em desenvolvimento que correspondem a essa descrição, tais como a Somália ou o Haiti. Neles, falta conforto para a maioria dos habitantes, e os desafios para a vida cotidiana são bem grandes.

O que aconteceu para que cada prédio seja o que é hoje? Alguns parecem tão ricos. Outros, tão pobres. Há razões para isso. Perceba que alguns condomínios têm, por exemplo, abundância de água, com poços artesianos construídos em seus quintais. Enquanto isso, em outros, há cortes de fornecimento de água, com tubulações precárias e escassez desse recurso tão vital.

No passado, moradores de muitos desses prédios opulentos se serviram de recursos produzidos por prédios que agora são mais pobres. Por muito tempo, prédios que hoje são mais pobres se deixaram administrar por síndicos corruptos e irresponsáveis. Muitas vezes, os prédios mais pobres foram acertados em cheio por essas duas realidades — a da exploração predatória dos vizinhos e a da má gestão de seus próprios moradores —, além de terem passado por outros infortúnios imprevisíveis, tais como rachaduras estruturais provocadas por abalos sísmicos ou destelhamentos decorrentes de tormentas, furacões e tufões.

Cada uma dessas edificações de concreto é feita não apenas com os elementos que lhe dão a aparência externa, mas também com os valores dos seus habitantes. Em alguns desses edifícios, as reuniões de condomínio são organizadas e os moradores participam delas. Eles se respeitam e discutem livremente sobre o orçamento e os gastos comuns. Já em outros, o ambiente é tenso. Os moradores vivem fazendo acusações mútuas, sempre relembrando brigas não resolvidas no passado. Há ainda os condomínios nos quais a gestão das contas não é transparente. Nesses lugares, sempre falta dinheiro para os gastos comuns, a manutenção é precária e muitas vezes há ameaças e até brigas de fato entre os moradores.

Se pudermos reduzir a escala, o mundo talvez nos pareça a um bairro como esse. Assim como os prédios, cada país tem sua própria história. Cada um dispõe dos seus recursos e estabelece suas próprias regras. Porém, acima de cada síndico, existem regras comuns que são aplicadas àquela região ou mesmo à cidade como um todo. Toda comunidade é, por fim, o resultado desse emaranhado de histórias, de disputas por espaço, poder e recursos. E é no meio desse terreno diverso e densamente povoado que se dá o fenômeno que nos interessa neste livro: a migração, em suas diversas formas.

AS PRIMEIRAS BRIGAS NO CONDOMÍNIO

Você mora em um dos prédios desse bairro. Ele não é muito alto, nem muito baixo. Não é dos mais modernos e opulentos, nem dos mais cinzentos e apagados. É um prédio simples, afinal. Tem alguma graça na fachada e um bonito jardim na entrada. Seus pais já moravam nesse mesmo apartamento quando você nasceu. E, antes deles, seus avós também moraram ali. Há três ou quatro amigos de infância vivendo em andares diferentes. Alguns moradores têm cachorros. Mas a maioria, não. Há idosos, famílias com crianças pequenas e um punhado de gente com quem, na verdade, você nunca teve contato algum.

Um mês atrás, uma chuva de verão inundou a garagem subterrânea de onde você mora. Na enchente, três moradores perderam seus carros. Essas chuvas de verão têm sido cada vez mais fortes, pois ninguém no condomínio tem lembrança de já ter ocorrido algo assim.

Os moradores que perderam os carros estão processando o condomínio. Querem uma indenização. A chuvarada também danificou o elevador de serviço. Desde então, todos os moradores usam um único elevador, o social, no qual pessoas com cachorros, fazendo mudança e carregando compras de supermercado se misturam, sobrecarregando o trânsito interno e provocando discussões nos corredores. Os vizinhos do andar de cima pediram ao síndico que aplicasse uma multa nos moradores do apartamento de baixo, cujo cão vem fazendo xixi no tapete do elevador social.

A chuva mudou um bocado a dinâmica do seu prédio. É impressionante como alguns centímetros a mais de água foram suficientes para virar tudo de pernas para o ar. Com o rebuliço, questionou-se a forma como os atuais síndicos aplicaram o dinheiro do condomínio, que deveria ter sido guardado justamente para arrumar esse tipo de problema. Parecia haver uma poupança, mas não é isso que o balanço contábil distribuído na última reunião de moradores demonstrou. Daí a demora em consertar o elevador quebrado. Ninguém sabe explicar como o dinheiro da manutenção do prédio desapareceu.

Com todos esses problemas, os ânimos de alguns moradores esquentaram. Há brigas feias nas reuniões de condomínio e as eleições para escolher um novo síndico foram antecipadas. Há dois candidatos na disputa. Eles se odeiam, acusam-se mutuamente, e seus eleitores vivem batendo boca nos corredores

Todos os dias, as equipes de campanha desses candidatos deixam bilhetes debaixo da sua porta. Um dos papéis contava que membros da administração atual furaram os pneus dos carros de seus adversários na garagem do prédio. Outro denunciava que o líder da chapa de oposição tinha soltado o cachorro — o que urinava no elevador — sobre membros do atual conselho fiscal.

Tudo parece confuso o bastante para não prender sua atenção. Afinal, você não se sente ligado a um lado ou a outro nessa história. Estão todos exaltados demais, você pensa. Mas é difícil não tomar partido. No sábado, o representante da situação bateu à sua porta. E, no domingo, foi o da oposição. "Veja bem", você falou, "eu não ligo para política, nem para a eleição da chapa do próximo síndico do prédio. Além disso, acho que ambos estão passando um pouco da medida e seria bom que mantivéssemos alguma civilidade no lugar em que todos nós vivemos!" Mas foi curioso que, nas duas conversas, a reação de ambos tenha sido a mesma: "É preciso tomar partido", eles disseram. "Um prédio não se governa sozinho. E estamos diante da ação de verdadeiros bandidos!". Difícil saber, em todo caso, quem seria, de fato, o bandido da história, dado que ambos os lados andam empenhados em ofensas, escaramuças e sabotagens de um mês para cá.

Numa manhã, você percebe que alguém deve ter usado uma chave para riscar na sua porta a frase "Morte aos traidores", em letras enormes, talhadas bem fundo. É um absurdo que as coisas tenham chegado a esse ponto. Pela primeira vez, você pensa em se mudar. Mas a eleição do novo síndico está marcada para ocorrer no dia seguinte. É melhor esperar. Talvez tudo se acalme.

EXPLOSÕES, APAGÕES E UMA MORTE NO CORREDOR

Você justamente comentava o caso com uma familiar pelo telefone quando a energia no prédio caiu depois de uma explosão ter chacoalhado os vidros. Metade dos apartamentos ficou sem luz. Ninguém sabe ao certo o que aconteceu. O prédio, que funcionava apenas com um elevador, agora só conta com a escadaria. É verão e a geladeira deixou de funcionar, assim como o ar condicionado, o ventilador e a internet. A essa altura você já pensa em instalar uma tranca de segurança na porta de casa, mas nem o chaveiro você pode chamar.

Estão todos vivendo realmente com medo nos últimos dias. Muitos nem dormem à noite. Evitam sair. Ninguém quer cruzar com nenhum desses malucos no corredor. Mas é impossível não se deixar afetar por essa inacreditável revolução.

Numa dessas noites sufocantes de verão, uma enorme tempestade caiu sobre a cidade. A garagem do prédio foi novamente inundada. Dessa vez, a água subiu até os primeiros degraus da escadaria. Sem luz elétrica, sem telefone, você nem sequer podia pedir socorro. Nessa madrugada chuvosa e confusa, você ouviu uma enorme algazarra e, por isso, abriu a porta da sala. Sob a luz fraca emanada de um poste de rua, que entrava por uma das janelas quebradas do prédio, foi possível ver alguém disparar uma arma de fogo no corredor do seu andar. O tiro ecoou por toda a rua. Havia um corpo de um vizinho morto quase na soleira da sua porta.

Aquilo já era demais. Em desespero, você recolheu seus pertences e saiu de casa. Foi difícil escolher o que levar: documentos, diplomas, algumas poucas fotos de parentes e de amigos, toda a roupa que coube numa mochila. Tropeçando no escuro, você se aventurou a descer os lances de escada do prédio. Foi tateando com as mãos, se apoiando nos pilares e nas paredes, tentando adivinhar com o ouvido aguçado o que os olhos, na escuridão, não eram capazes de ver. Fazia um calor infernal e você, carregando tantas coisas consigo, mal conseguia respirar no meio de toda a correria, descendo ofegante, em fuga, depois de ter presenciado alguém morrer minutos atrás.

Ao passar pelo andar logo abaixo, foi possível perceber que outros vizinhos faziam o mesmo. Havia uma senhora com muleta, uma mãe com dois filhos de colo, todos tropeçando e se embolando, na pressa de fugir daquele lugar escuro e infernal, onde, para piorar, todos sabiam agora que havia um corpo sangrando em algum canto escuro.

A corrida desenfreada estancou no piso térreo. Ali, dezenas de moradores se aglomeravam, muitos chorando e gritando o nome de parentes perdidos na confusão. Havia crianças desgarradas dos pais. As pessoas passavam umas por cima das outras, na tentativa de nadar para fora do prédio, vencendo a água da chuva que havia inundado todo o lobby de entrada.

Na porta, dois homens fortes tentavam a todo custo conter a fuga. "É proibido sair! Há eleições amanhã! Todos os moradores têm que votar!", gritava um deles. "Ninguém pode deixar o prédio até encontrarmos o responsável pela morte do nosso candidato!", dizia o outro. Mas a torrente de gente era enorme, e, a despeito da força que os homens faziam, muitos moradores conseguiram vencer esse último obstáculo e ganhar a rua escura.

A água fria e suja chegava pouco acima dos joelhos. Havia objetos boiando ao redor. Um deles... não pode ser! Era seu passaporte. Um relâmpago inundou por um breve instante o hall de entrada do prédio e foi possível ver seu documento afundando na água. As mãos apalparam os bolsos de trás da calça e os papéis já não estavam mais lá. O enorme estrondo que se seguiu fez as crianças gritarem de medo, e os adultos, tensos com aquela situação inacreditável, levaram as mãos aos ouvidos, temendo que fosse um outro disparo ou explosão.

O rebuliço provocado pelo raio trouxe a chance que você esperava, e, num pulo no escuro, você conseguiu nadar até a porta no final da escadaria e passar pelos homens que tentavam conter a pequena multidão. Você estava finalmente fora do prédio agora. Já não sentia mais o sufoco do calor e do empurra-empurra com os outros vizinhos que também tentavam fugir. Bastava agora chegar até o prédio em frente ao seu. Tudo ficaria bem. Seria fácil, você pensava. Alguém, naturalmente, iria ajudar.

SEM LUGAR PARA SE ESCONDER

Do outro lado da rua fica um pequeno prédio antigo, de três andares. Não há guarita nele. Não há vigias. Você toca o interfone. A voz de uma mulher, metalizada pelo aparelho, pergunta "quem é?". Mas ela mal consegue ouvir a sua resposta. A tempestade continua caindo, com raios, trovões e uma chuva intensa de pingos grossos. Você cola o rosto à pequena máquina, aproximando a boca da grade pela qual, deduz, deve entrar a sua voz. A luz mínima que o teclado do interfone emana ilumina seu rosto contorcido de preocupação e de incerteza. A água é tanta que desce pela ponta do seu nariz. Ofegante, você tropeça nas palavras enquanto tenta explicar o que está acontecendo.

A senhora do outro lado da linha é prima de sua avó, uma parente distante com a qual poucas vezes você conversava. Mas ela lembra de você ainda pequena e, mesmo sem entender direito a história toda, te deixa entrar. Um barulho semelhante a um choque elétrico faz o portão destravar. Você acessa um pequeno jardim, cujo final leva a um hall de entrada apertado e bem iluminado.

Esse é o primeiro suspiro aliviado das últimas 24 horas, mas, antes mesmo de esvaziar os pulmões e de terminar de resmungar um desabafo qualquer, você congela diante de uma cena inesperada. Outros moradores do seu prédio tiveram a mesma ideia e agora se aglomeram com seus sacos de roupa, molhados e sujos, pelos corredores, buscando abrigo, esperando o pior passar.

A inundação cortou a luz não apenas do seu prédio, mas de muitos vizinhos também. O volume de água, imenso, tornou as ruas intransitáveis. Por quantas quadras? Por quanto tempo? Ninguém sabia dizer.

Sua tia-avó acena logo acima do final do primeiro lance da escadaria. Tomando o cuidado de não pisar nos outros, você avança até finalmente chegar à porta dela. Nada, no entanto, poderia te preparar para a visão que se seguiu: a generosidade de sua nova anfitriã não era restrita apenas à família. Na sala dela, há cinco crianças chorando em meio a um amontoado de caixas molhadas de papelão. E, de outros cômodos do apartamento, outras famílias te espiam.

Apesar de toda a boa vontade, a estada nesse prédio em frente foi terrível, do começo ao fim. Em poucos dias, os banheiros estavam colapsados. A comida se tornou insuficiente para o fluxo inesperado de vizinhos. E o dinheiro dos anfitriões se esgotou depois de um tempo. Ficou claro para você que, novamente, era preciso partir.

No dia anterior, um pequeno bilhete amarrotado, escrito num pedaço de folha de caderno, havia chegado às suas mãos. Ele trazia uma mensagem escrita em letras trêmulas por uma amiga que costumava viver no andar de baixo, e dizia o seguinte: "Consegui abrigo no prédio grande que fica no final da rua. Tente vir".

"VOCÊ NÃO PODE ENTRAR"

É com esse pequeno pedaço de papel apertado entre os dedos que você atravessa a rua. De passagem, é possível ver o que sobrou do lugar em que você e todos aqueles desabrigados costumavam viver, no início de toda essa tragédia. Sua antiga casa parece agora um enorme esqueleto carbonizado. É assombrosa a imagem. Das janelas sem vidros, saem grossas línguas negras que lambem a pintura da fachada do prédio, sugerindo, com o desenho ondulado, o balanço das labaredas que queimaram tudo. Apesar do cenário de destruição, ainda há muitos moradores vivendo lá. São pessoas que não puderam ou não quiseram sair. Há uma mulher solitária, chorando, em uma das janelas do corredor do quinto andar. Em outra, no andar logo acima, há um homem com o rosto coberto pelo que parece ser uma camiseta, e uma arma na mão. A tragédia provocada pela chuva e pela violenta luta política entre os moradores destruiu completamente o lugar onde você costumava viver.

Ao contrário do pequeno prédio de três andares no qual você primeiro buscou abrigo naquela noite de chuva, o edifício no final da rua é imponente e frio, com dezoito pisos e enormes varandas envidraçadas. Ali, não há parentes distantes para chamar. A portaria tem vidros completamente escuros. Não é possível saber nem sequer se algum funcionário notou sua presença.

Você segura as barras de ferro com as duas mãos e repousa a testa na grade do portão, esticando a vista para dentro daquele enorme condomínio fechado. Não há ninguém à vista. Mas você, no entanto, está à vista das diversas câmeras apontadas na sua direção. "Pois não?", diz uma voz robotizada. É impossível dizer de onde ela vem ou a quem se dirigir. Você, então, responde, como se estivesse falando sozinha, como se estivesse se dirigindo ao enorme prédio como um todo: "Oi. Eu moro no edifício que queimou, lá no início da rua. Preciso entrar, usar o telefone ou a internet, pedir ajuda. Eu não tenho onde ficar".

De dentro da guarita blindada e escura, sai um homem de terno e gravata, com o nome de uma empresa de vigilância bordado na altura do peito esquerdo. "Aqui só pode entrar morador", ele diz. "Eu sei. Não quero atrapalhar, mas eu preciso de ajuda, por favor. Não é possível que a polícia não tenha aparecido, os bombeiros, a prefeitura, não sei! Eu preciso me comunicar. Você deve ter um telefone que eu possa usar", você tenta argumentar. "É só para morador", ele repete, antes de voltar ao interior da pequena câmara fechada.

Nesse período, alguma pessoas que passavam na rua lançaram moedas ou deram cobertores. Outras, fugindo, como você, também encontraram um canto na calçada para dormir. Curiosos tiraram fotos. E alguns moradores raivosos, voltando de um passeio no shopping ou de um fim de semana na praia, gritaram: "Voltem para suas casas!", enquanto esperavam que um funcionário na guarita escura abrisse o portão da garagem para que eles pudessem estacionar o carro.

Além da sujeira, do mau cheiro e do cansaço, o que mais incomodava agora era uma dor de barriga persistente, que atacava suas tripas como se elas fossem um pano de chão torcido depois de enxaguado. Também uma ardência no olho, uma conjuntivite, uma irritação terrível, que custava a passar, se somava às feridas nos pés e ao aspecto cadavérico que sua imagem havia adquirido depois da violência, das ameaças, das noites sem sono, da fuga e da tortura que é não saber o que vai acontecer no minuto seguinte.

Cada dia que passava tornava mais improvável sua aceitação naquele condomínio ou em qualquer outro prédio da região. Você fazia parte de um grupo grande de pessoas que agora atrapalhava o bairro, defecando nas ruas, pedindo dinheiro, pulando muros aqui e ali para roubar comida do lixo ou um pouco de água das torneiras usadas para lavar o chão dos condomínios.

As grades do enorme edifício vinham sendo usadas para estender a roupa lavada a muito custo no meio-fio. E foi num dia de sol e de calor, ao pendurar uma peça no varal improvisado do portão, que você e os demais vizinhos viram se aproximar um trio de homens severos. Algo na forma de caminhar sugeria que aquele pequeno grupo detinha autoridade superior à dos funcionários que viviam de enxotar vocês no dia a dia. O que caminhava à frente pediu que o funcionário da guarita abrisse o portão. E, em vez de passar pulando por sobre vocês, ele se deteve, junto aos outros dois, no meio das roupas que seriam penduradas, dos baldes usados para coletar água da torneira ou da chuva, encontrando espaço na bagunça de cobertores, caixas de papelão, malas e mochilas. Vocês, os fugitivos, estavam aglomerados numa espécie de "não lugar". Ninguém se detinha ali, salvo alguns poucos moradores que faziam da passagem uma oportunidade a mais de manifestar seu desagrado com o inconveniente da existência dos "de fora", dos "forasteiros", dos "estranhos".

O trio, porém, destoava dos moradores comuns. Aqueles homens pareciam mesmo interessados em saber o que se passava.

A CHEGADA DE SOCORRO

Um deles sorriu para uma criança desabrigada. Outro acenou para você. E o terceiro finalmente disse a que veio. Pelo que se pôde ouvir, por entre o barulho da rua e algumas frases raivosas gritadas por moradores que se debruçavam nas janelas, o grupo não tinha ligação com nenhum dos prédios daquele bairro. O trio era constituído pelos síndicos de todos os condomínios, e tinha como responsabilidade "oferecer proteção" e "aliviar o sofrimento" das pessoas que haviam fugido do prédio inundado e em chamas, onde havia ocorrido o assassinato; enfim, do seu prédio.

Foi difícil entender todo o discurso, pois, ao seu redor, havia se formado um mar de gente. Na tentativa de aguçar os ouvidos e de chegar mais perto daquele trio, as pessoas agora se acotovelavam, fazendo a pequena multidão balançar de um lado para o outro, como ondas no mar. Algumas crianças menores gritavam perdidas na floresta formada pelas pernas compridas dos adultos. O sol amigo, que há pouco secava as roupas no portão, era o mesmo que, agora, fazia subir um mormaço quente do chão, tornando difícil seguir ali, no meio de todo aquele aglomerado. Os três homens tiveram de interromper o discurso. Eles tentaram se desvencilhar da situação, buscando uma rota de fuga por entre toda aquela gente suja que já não se contentava com palavras, mas estendia as mãos com fotos, perguntando pelo destino de parentes, enquanto outros pediam dinheiro e comida, num vozerio que cresceu até virar gritaria e choro. O redemoinho de empurrões e de pisoteamentos lembrou todas as tentativas prévias de fuga e, inevitavelmente, despertou traumas em muitos dos sobreviventes, que pensavam estar, mais uma vez, perdidos no moedor de carne da noite da fuga.

Não foi possível entender de onde surgiu o grupo de uniformizados, com capacetes azuis, que, com o uso da força, tentava apartar o trio de senhores do restante da multidão. De braços dados, eles formaram um cordão humano intransponível, deixando, de um lado, a turba e, de outro, o trio, que agora, do alto de um caminhão que havia encostado pouco tempo antes na calçada, lançava sacos de qualquer coisa no ar, fazendo com que os sobreviventes se digladiassem entre si, disputando aos tapas os embrulhos que continham quem sabe o quê.

O trio, assim como os homens de capacetes azuis, estava lá para ajudar. Não havia dúvida alguma quanto a isso. A cena, porém, mais parecia a de uma guerra renovada, pois os sobreviventes de todo aquele inferno prévio não faziam mais que seguir se agredindo e se atropelando, como se todo o sofrimento anterior tivesse sido reeditado involuntariamente.

Com mais cansaço do que fome, com mais medo do que coragem e com mais desconfiança do que curiosidade, você preferiu se afastar do redemoinho, buscando observar a cena a partir das franjas da multidão. Foi assim que percebeu, num dos lados, a existência de uma fila cuja ponta terminava sob uma grande tenda branca. Ali, funcionários faziam perguntas e anotavam dados, distribuindo as pessoas, após o que parecia ser uma triagem, para um lado e para o outro, dependendo das informações intercambiadas numa espécie de consulta privada.

Não tardou a chegar a sua vez. Uma cadeira de plástico foi oferecida quando você se pôs de frente para a funcionária sentada diante de uma mesa simples. A sombra da tenda amenizava o calor. Ali, era possível distender a expressão tensa do rosto, mesmo sem perceber o movimento tão espontâneo. Com o corpo repousado no assento, você pôde retomar o suspiro interrompido numa daquelas noites de terror, nas quais, a todo instante, a esperança de poder chegar a um refúgio seguro — no prédio ao lado, no prédio em frente, do outro lado — era interrompida pela decepção da descoberta de que a vida se convertera numa fuga que nunca terminava.

De olhos fechados, você ainda esvaziava os pulmões, quando a funcionária perguntou o seu nome. Você respondeu, enquanto esfregava as mãos nervosas e a funcionária dizia para relaxar. Você cruzou os braços e tentou agradecer, sem saber ainda o porquê. Mas antes que chegasse ao fim da palavra "obrigada", você desatou a chorar. Foi como se todo o medo represado desaguasse ali, escorrendo por entre os dedos com os quais você tentava esconder o rosto, se desculpando entre soluços.

Um copo d'água, um "está tudo bem", uma volta do ponteiro dos segundos no relógio atado ao braço da atendente bastaram para cadenciar novamente a respiração, enquanto você e ela mergulhavam aos poucos num questionário monótono. "Onde morava, com quem vivia, no que trabalhava, que idiomas fala?" e outras perguntas semelhantes se seguiram. "Qual a razão da sua partida?", ela perguntou. "Eu fugi", você respondeu.

"Qual a razão da sua fuga, então?"
"Acabou a luz, caiu a internet, o elevador quebrou…"
"Entendo. Você queria morar num lugar melhor, então?"
"Queria. Eu até queria, mas não é isso. Eu não podia mais ficar."
"Por quê?"
"A garagem estava inundada. As chuvas encheram de água o hall de entrada."
"Você está fugindo das chuvas, então?"
"Sim. Mas também escreveram na minha porta."
"O quê?"
"Não lembro. Algo sobre traição. Mataram uma pessoa."
"Você a conhecia?"
"Não exatamente, mas era um dos vizinhos."
"Você não sabe a razão de estar fugindo?"
"Eu sei!"
"Então qual é?"
"É tudo isso. Olha, você não sabe o que eu estou passando. Eu não tinha nada a ver com aquilo. As eleições. Entraram em guerra por causa das malditas eleições e obrigaram as pessoas a ficar. Ameaçaram meus vizinhos, perseguiram famílias, mataram um homem. Eles iam me matar."
"Você tem documentos?"

"Eu perdi."

Um dos papéis que a moça preencheu dizia algo sobre "indocumentado". Outro, sobre "solicitante de refúgio". Você assinou. Ganhou canhoto destacável, com uma sequência de números interminável impressa nele. A mulher chamou o próximo da fila.

Depois de tantas voltas e de tantos dias, você estava finalmente dentro do enorme edifício. Havia entrado por uma porta lateral ou dos fundos, não era possível dizer. Foi encaminhada para o subsolo, em algum recôncavo do estacionamento subterrâneo. O quarto da limpeza não era grande, nem confortável, mas era, ao menos, seguro. A estada era austera. A sensação era de ter se tornado alguém de segunda categoria na vida. Muitos moradores faziam questão de deixar isso claro, gritando ofensas contra você nos corredores. Um deles dizia que iria se candidatar a síndico no ano seguinte. E, se ganhasse, tudo iria mudar. Você e os demais iriam embora.

De fato, ir embora era um desejo diário. Mas o lugar para onde você e os demais desejavam voltar já não existia mais. Nos finais de semana, quando folgava na faxina, você subia no telhado do condomínio, a pretexto de limpar qualquer coisa. E, lá de cima, via colunas de fumaça negra se erguendo do seu velho prédio no fim da rua, enquanto homens de capacetes azuis, aqueles mesmos, passavam eventualmente pelas janelas das quais transbordava a escuridão.

4

TIPOS DE MIGRANTES, DE LEIS E DE INSTITUIÇÕES

A catástrofe do pequeno edifício é apenas imaginária. Mas ela ajuda a aproximar de nós uma realidade distante. Pensando em escala reduzida — transformando países em condomínios, e o mundo todo numa única rua ou num quarteirão —, nós podemos perceber mais facilmente como é difícil ter a vida interrompida pela violência, como é duro perder a estabilidade, a segurança, a previsibilidade. Acima de tudo, podemos vislumbrar a sensação dos que, surpreendidos por um turbilhão de acontecimentos trágicos, têm de lidar em seguida com a rejeição, o desamparo e a falta de empatia — nome dado à capacidade que o ser humano tem de se colocar na pele do outro.

Milhares de pessoas enfrentam situações como essa no mundo atualmente. Surpreendidas por uma espiral de violência, elas têm suas vidas interrompidas de repente. Contra a própria vontade, são obrigadas então a deixar tudo para trás e buscar proteção numa terra estrangeira. Em 2016, havia mais de 65 milhões de pessoas nessas condições. Consegue imaginar esse número? Para acomodar todas essas pessoas seriam necessários 823 estádios de futebol do tamanho do Maracanã.

Em alguns casos, os deslocamentos forçados de pessoas pelo mundo são motivados por catástrofes naturais, como inundações, tufões, furacões, terremotos ou tsunamis. Noutros, pela violência de guerras, de campanhas de extermínio ou perseguições políticas, religiosas e étnicas. Não raramente, os deslocamentos forçados são resultado da sobreposição desses dois fenômenos, acrescidos ainda da pobreza extrema, da fome e de epidemias.

ONDAS GIGANTES NA INDONÉSIA

Catástrofes como a descrita no pequeno condomínio imaginário acontecem de verdade, em escala real. Vamos pegar um caso extremo, como o da Indonésia. Em 2004, um terremoto submarino próximo à costa desse país do Sudeste Asiático provocou um tsunami devastador. Ondas gigantes levaram à morte de mais de 200 mil pessoas, varreram o litoral de diversas cidades da Oceania e viajaram milhares de quilômetros até provocar reflexos na maré da costa leste da África e até mesmo na distante América do Sul.

Uma catástrofe dessa magnitude arrasta pelo caminho toda a estrutura necessária para a manutenção da vida humana. Não apenas casas, escolas e hospitais são destruídos, como também estruturas complexas, como as redes de tubulações que fornecem água tratada e os encanamentos que escoam o esgoto, ficam contaminadas pela mistura com a água salobra do mar e com a lama que desce dos morros. Para os que sobrevivem ao impacto da tragédia em si, permanece o enorme desafio de manter as condições mínimas de subsistência ao longo do tempo. O rompimento de diques, a ruptura de pontes e a derrubada de encostas terminam por interromper a ligação viária entre partes inteiras de um país. Durante semanas, às vezes meses, populações ficam isoladas, sem luz elétrica, gás, alimento, privadas de qualquer forma de comunicação com o mundo exterior.

Essas enormes privações ocorrem no momento em que as pessoas estão traumatizadas pela magnitude do evento em si, assim como pela perda de parentes mortos ou desaparecidos. A convivência cotidiana com cadáveres, às vezes espalhados pelas ruas, onde ficam expostos à ação do tempo e de animais, é um fato profundamente perturbador, com graves consequências para a saúde mental dos sobreviventes. Além das sequelas psicológicas, quem sobrevive a uma catástrofe como essa enfrenta ainda a propagação de doenças, grande parte das vezes pelo consumo de água contaminada, e os traumas físicos que afetam a mobilidade e se agravam à medida que o socorro médico tarda em chegar.

TERREMOTO NO HAITI

Apenas seis anos após o tsunami da Indonésia, foi a vez de o Haiti sentir os efeitos de uma tragédia semelhante, cuja dinâmica também guarda relações com os fatos que construímos em nossa pequena maquete.

Em janeiro de 2010, um terremoto devastador deixou 220 mil mortos naquele país. O Haiti tem um passado marcado por uma brutal ocupação colonial francesa, por escravidão e quase trinta anos de governos ditatoriais. Mas é também conhecido pelos valores de uma inspiradora revolução independentista, a primeira bem-sucedida de negros escravizados do Ocidente, que, em 1804, derrotou o poderoso exército de Napoleão Bonaparte. O Haiti é extraordinário culturalmente, mas também é um dos países mais pobres do mundo. Além de lidar com a tragédia econômica e política, os haitianos têm contra si o fato de viverem numa rota de fenômenos ambientais violentos. Terremotos e furacões são constantes na ilha Hispaniola, onde o país está situado, no meio do mar do Caribe.

Quando um desses terremotos sacudiu o Haiti, a notícia chegou rapidamente e com grande alarde ao Brasil. Essa repercussão incomum por aqui aconteceu porque, desde 2004, tropas brasileiras faziam parte de uma missão de paz das Nações Unidas, criada com a intenção de restaurar as condições de segurança e possibilitar a realização de eleições livres e limpas no país. A missão militar tinha por objetivo auxiliar na resolução de um problema político, mas o maior número de "baixas" — expressão que é usada no meio militar para se referir à morte de soldados — ocorreu em decorrência do fenômeno natural. Do lado brasileiro, dezoito militares morreram no terremoto, além de quatro civis.

A precariedade das construções haitianas fez com que muitas casas e edifícios ruíssem com o abalo sísmico. O palácio do governo veio abaixo. Após o tremor, circular pelas ruas da capital, Porto Príncipe, era, em muitas partes, como percorrer os escombros do que parecia ser um bombardeio aéreo. Quilômetros de ruínas empilhadas margeavam os dois lados das ruas. Sob muitas delas, ainda havia corpos de vítimas do terremoto, mesmo meses depois do ocorrido.

Gigantescos campos de desabrigados se formaram em várias partes do país. Um dos maiores, chamado Champs de Mars, no centro de Porto Príncipe, chegou a comportar 20 mil pessoas. Ele parecia uma cidade, com ruelas estreitas entre milhares e milhares de cabanas improvisadas, muitas delas feitas apenas de sacos plásticos e pedaços de lixo encontrado nas ruas. Mesmo dois anos após a tragédia, o Haiti ainda tinha 707 campos de desabrigados como esse.

O terremoto ocorreu num mês de janeiro. Apenas nove meses depois, quando o país, ainda traumatizado, buscava forças para se reorganizar, uma epidemia de cólera matou mais de 8 mil pessoas. Ironicamente, a doença — facilmente transmissível em locais de higiene precária, e caracterizada por fortes diarreias e desidratação severa — foi levada ao Haiti por militares do Nepal que faziam parte da missão de paz das Nações Unidas. Com esse episódio, as tropas estrangeiras, que haviam sido enviadas ao país para ajudar, protagonizaram involuntariamente uma nova tragédia humanitária.

Todo esse sofrimento ocorreu no ano em que os haitianos se preparavam para votar para presidente. O terremoto havia destruído 40% dos locais de votação, e 150 mil cidadãos haviam perdido o título eleitoral, que é o documento que permite que uma pessoa deposite seu voto na urna. Havia tropas militares nas ruas e a repressão policial contra comícios e manifestações era, muitas vezes, violenta.

Assim como no nosso condomínio imaginário, o Haiti também experimentou um longo período de instabilidade política, agravada por fenômenos naturais extremos e pela violência, o que levou mais de 2 milhões de haitianos a fugirem do país. Muitos chegaram até o Brasil, numa dinâmica migratória que veremos mais adiante, quando falaremos dos "tipos" de imigrantes e das leis aplicáveis a todos eles.

GUERRA NA SÍRIA

Indonésia e Haiti são dois exemplos de situações nas quais fenômenos naturais — um tsunami, no caso indonésio, e um terremoto, no caso haitiano — tiveram papel central, assim como ocorreu na nossa maquete imaginária de condomínio. Mas há também situações nas quais a violência política é a protagonista. Esse é, por exemplo, o caso da Síria, um país que, em 2011, mergulhou numa guerra devastadora, responsável por um dos maiores fluxos migratórios contemporâneos.

Tudo começou quando a população síria foi às ruas protestar contra o próprio governo. O país é controlado há quase cinquenta anos pela mesma família: primeiro, pelo pai, Hafez al-Assad, e, depois, pelo filho, Bashar al-Assad. Há meio século, portanto, os sírios vivem sob o mesmo regime, numa transição dinástica do cargo, de pai para filho, como acontece no caso dos reis e príncipes.

Normalmente, em regimes democráticos, os eleitores de um país vão às urnas e escolhem livremente quem será seu presidente, ou sua presidente. A pessoa escolhida cumpre um mandato por tempo determinado. Em alguns países, esse mandato presidencial é de quatro anos. Em outros, de cinco anos. Em alguns casos, o mandato pode ser estendido por um período igual, caso o presidente seja reeleito. Em seguida, ele ou ela deixa o poder. Porém, só em países como a Síria, nos quais a democracia é muito frágil, com controle da imprensa, vigilância sobre a oposição e repressão do governo sobre os habitantes, acontece de uma mesma pessoa ou seus parentes governarem por tanto tempo, sem que haja espaço para políticos de oposição. Foi contra essa situação que muitos sírios começaram a protestar em 2011.

Em resposta, as forças policiais, que eram leais ao presidente Assad, passaram a prender os que levantavam a voz contra o governo sírio. Os manifestantes, porém, não se intimidaram. Ao contrário, protestaram com ainda maior disposição. Na tentativa de manter definitivamente o controle da situação, Assad empregou as Forças Armadas contra seus opositores.

O aumento da perseguição e das prisões fez com que muitos opositores de Assad deixassem o país, temendo que o pior ocorresse. O espaço para o diálogo foi reduzido no interior da Síria, enquanto o uso da força se tornou cada vez mais frequente. Assim, saíram de cena os políticos de oposição e ganharam relevância os cidadãos que tinham disposição para o enfrentamento armado contra o governo.

Uma guerra civil se instalou no interior da Síria. Em seguida, outros países também passaram a intervir militarmente. Os americanos, por exemplo, deram apoio aos grupos de oposição, que tentavam tirar Assad do poder. E os russos, por outro lado, deram o apoio necessário para que Assad se mantivesse no cargo. Além da Rússia e dos Estados Unidos, muitos outros países também entraram direta ou indiretamente nessa guerra, se alinhando de um lado ou de outro.

A consequência de toda essa disputa recaiu sobre a população civil. Pessoas comuns, que não pegavam em armas e não participavam da guerra foram as que mais sofreram. No auge do conflito, em 2016, quatro hospitais, uma escola e diversas residências civis foram bombardeados em sequência. Num intervalo de cinco anos, entre 2011 e 2016, 697 profissionais de saúde tinham sido mortos pela guerra e 336 hospitais haviam sido atacados, segundo a organização Médicos Sem Fronteiras.

Não havia lugar seguro. Sem alternativa, famílias inteiras passaram a se lançar na aventura incerta de cruzar territórios na direção de um lugar que as acolhesse. Primeiro, chegaram a países limítrofes. Depois, cruzaram o mar Mediterrâneo para tentar chegar à Europa.

As consequências humanitárias continuarão a existir na Síria mesmo depois que essa guerra acabar. É improvável que qualquer família disponha de condições mínimas de segurança, de saúde e de educação para voltar a viver dentro das fronteiras de um país arrasado. É por isso que, desde 2011, 13,5 milhões de sírios passaram a viver no exterior.

UM ESTADO FALIDO NA SOMÁLIA

Campos de refugiados podem se tornar tão grandes quanto cidades. Na África, existem vários exemplos de aglomerados de acampamentos de refugiados que cresceram com o passar dos anos, até superar a população de centros urbanos.

O maior exemplo desse fenômeno é o complexo de campos de Dadaab, no Quênia. O local chegou a abrigar em seu ápice, em 2011, entre 300 mil e 400 mil pessoas. Esse número é maior do que a população de 5500 cidades brasileiras.

Dadaab fica na região leste do Quênia, quase na fronteira com a Somália, perto do chamado Chifre da África. O gigantesco complexo é constituído por um conglomerado de campos menores, que formam uma espécie de região metropolitana de barracas e casinhas frágeis no meio de uma vasta extensão de terra árida.

Tudo começou em 1991, quando 90 mil moradores da Somália cruzaram a fronteira com o Quênia em busca de proteção contra os efeitos de uma guerra civil. A Somália estava destruída por anos de conflitos entre diferentes facções controladas pelos chamados "senhores da guerra". O ditador somali Siad Barre havia sido deposto naquele ano, e a Somália passou a ser considerada um Estado falido desde então. Essa expressão, Estado falido, é usada para se referir a países nos quais o governo não existe, não controla o território, não provê serviços e não regula as relações entre os diferentes grupos, que, na ausência de qualquer estrutura formal, passam a disputar o poder à força entre si.

Em 2011, uma grande seca piorou ainda mais a situação na Somália. A falta de alimentos provocou uma enorme mortandade por fome no país. Com isso, um novo fluxo de refugiados chegou a Dadaab, aumentando ainda mais a população do complexo de campos quenianos.

MUITAS CAUSAS, UM DESTINO: A FUGA

Os quatro casos — Indonésia, Haiti, Síria e Somália — são distintos. Mas eles têm uma coisa em comum: a busca das populações desses países por segurança. Diante de grandes tragédias, pessoas comuns, como qualquer um de nós, precisam encontrar formas de sobreviver.

Em condições normais, essa proteção está ao nosso alcance. No dia a dia, podemos correr a uma farmácia ou a um hospital. Porém, quando fenômenos naturais extremos ou guerras destroem a estrutura inteira de um país, tudo se torna mais difícil. Na inexistência de uma rede adequada de proteção, as pessoas fogem.

Da mesma forma que ocorreu no pequeno condomínio imaginário, fenômenos naturais podem dar início ou agravar a confusão que leva a uma profunda desordem social. No pequeno universo de nossa rua, tratava-se apenas de uma garagem inundada. Foi esse primeiro imprevisto que levou à pane dos elevadores, ao corte de energia elétrica e à interrupção dos meios de comunicação, como telefonia e internet.

Na cena imaginada por nós, a confusão causada pelo alagamento da garagem foi acompanhada de violentas disputas pelo controle político da gestão do edifício. O conflito entre facções rivais levou a pressões sobre os moradores, processos judiciais, perseguições, campanhas difamatórias e, no limite extremo, ao assassinato de uma pessoa. Essa escalada fez com que os moradores do prédio optassem por uma fuga desesperada.

O mesmo ocorre ao longo da história no mundo todo, quando confrontos por recursos naturais, por meios de subsistência e por riquezas — terra, água, petróleo, diamantes — levam países ou grupos armados a se enfrentarem entre si. As raízes dos problemas podem ser muitas, mas os meios de disputa sempre passam pela política e, muitas vezes, trazem pesadas consequências para as populações, que, sem saída, são forçadas a deixar tudo o que possuem e partir rumo a um futuro incerto.

Note que outro elemento presente em nossa maquete imaginária foi a falta de dinheiro. O condomínio não dispunha dos fundos necessários para drenar rapidamente o alagamento da garagem, para consertar os elevadores quebrados ou para alugar um gerador de energia. A precariedade na estrutura do prédio também podia ser vista na ausência de luzes de emergência no corredores usados durante a fuga, que ficaram escuros e alagados, com moradores passando uns por cima dos outros. Por que não havia dinheiro para resolver rapidamente a situação e, assim, evitar todos os problemas que se seguiram? Seria uma falta de dinheiro dos próprios moradores? Haveria muitos condôminos inadimplentes, com contas em atraso? Ou tudo isso seria fruto de uma gestão corrupta? Ou, ainda, uma combinação desses dois fatores? Não saberemos em detalhe. Mas o fato é que a falta de dinheiro e, consequentemente, de melhor estrutura no prédio agravou os problemas decorrentes das inundações e da violência, dificultou os reparos ou uma eventual reconstrução e terminou por tornar ainda mais improvável o regresso de quem optou por fugir.

Assim também acontece nas grandes crises humanitárias internacionais. A falta de recursos e de estrutura torna mais difícil a permanência da população num determinado local. Além disso, muitas vezes, a pobreza é justamente o que motiva a busca por melhores condições de vida em outro país.

Agora note como se dá a dinâmica da fuga. No caso da nossa maquete, tentamos primeiro buscar abrigo num local mais próximo e conhecido. Pode ser a casa de um parente do outro lado da rua, por exemplo. Muitas vítimas de desastres e de guerra fazem isso: buscam abrigos momentâneos, apenas "até o pior passar". Porém, conforme a situação se torna mais grave, essas pessoas são levadas a buscar locais mais distantes que ofereçam proteção. Assim, chegam a outras cidades, a outros países e até mesmo a outros continentes.

No caso da Síria, muitas vítimas da guerra foram parar, primeiro, em países vizinhos, e, só depois, em destinos tão distantes quanto a França, a Alemanha ou mesmo o Brasil. Desde o início da guerra, em 2011, mais de 4 milhões de refugiados sírios buscaram abrigos em países fronteiriços, como o Líbano, a Jordânia e a Turquia. É como se essas pessoas tivessem apenas "cruzado a rua" em busca de uma proteção temporária. Na nossa maquete imaginária, o prédio que primeiro serviu de abrigo estava do outro lado da rua. Mas ele foi rapidamente inundado por pessoas que, como você, também buscavam proteção. Mesmo a disposição e a solidariedade da parente que abriu as portas de casa se mostraram insuficientes diante do enorme fluxo de famílias que chegavam a todo instante. O mesmo ocorreu no mundo real. Já no terceiro ano do conflito sírio, em 2015, havia mais crianças sírias matriculadas em escolas do Líbano do que crianças libanesas.

A saturação dos países fronteiriços, como o Líbano, colaborou para que muitos sírios se aventurassem em buscar abrigos ainda mais distantes, mais bem estruturados e protegidos. Foi assim que tiveram início as travessias do mar Mediterrâneo em botes precários, na direção de países europeus. E, da mesma forma que em nossa maquete os moradores do luxuoso prédio no final da rua recusaram a onda de recém-chegados, muitos europeus também se opuseram aos imigrantes sírios, na vida real.

O mesmo ocorreu no caso dos haitianos. A fuga dos sobreviventes foi empreendida primeiro para o país vizinho, a República Dominicana. E, logo, para países tão distantes quanto o Brasil, o Chile e o Peru.

No ápice desse movimento, a cidade acreana de Brasileia, na fronteira com a Bolívia, contava com um campo de acolhida para os haitianos, onde eram feitas a recepção e a triagem dos que chegavam sem nada. Mais de 20 mil haitianos passaram pelo local em três anos e meio de funcionamento do abrigo. O lugar havia sido preparado para acomodar entre duzentos e trezentos albergados, mas chegou a ter quase mil pessoas vivendo em seu interior ao mesmo tempo.

Nos seus piores dias, o abrigo tinha homens e mulheres dormindo misturados sobre colchonetes rasgados, dispostos sobre o chão de madeira de um enorme galpão. O local tinha apenas dez latrinas e oito chuveiros. No hospital da cidade, 90% dos pacientes provenientes do abrigo sofriam de diarreia. Muitos se diziam surpresos, frustrados e desesperados por encontrar no Brasil as mesmas condições de higiene e de abrigo que havia no Haiti logo após o terremoto.

OS TRABALHADORES HUMANITÁRIOS

A partir do ponto em que nos encontramos agora nessa história, só é possível seguir adiante se, antes, regressarmos alguns passos, relembrando fatos ocorridos na nossa pequena maquete imaginária. Na história inventada por nós, houve um instante em que a sua sorte e a de todas as outras pessoas que também haviam fugido do edifício colapsado começaram a virar. Isso aconteceu quando o grupo de desabrigados do qual você fazia parte estava pendurando roupas nas grades do portão do edifício enorme, confortável e seguro que havia dias impedia intransigentemente a entrada do grupo. Foi nesse momento que surgiu um trio de profissionais que se apresentou para resolver a situação, você se lembra?

A partir daquele instante, você e os demais tiveram a chance de finalmente serem ouvidos. Puderam contar suas histórias. Foram recebidos, em fila, numa pequena tenda branca, sob a qual funcionários faziam perguntas, recolhiam dados e, por fim, davam instruções sobre para onde seguir.

Não é possível dizer que, a partir daquele instante, tudo se resolveu. Afinal, a permissão obtida para finalmente entrar no prédio foi seguida de uma vida penosa, com discriminação de alguns moradores, insultos e condições austeras, sempre numa posição secundária e subalterna em relação aos moradores originais do suntuoso edifício. Ainda assim, a iniciativa daquelas pessoas representou, pelo menos, um alívio. E ofereceu, naquele momento de desespero, uma resposta prática e humana.

Aquele trio parecia ter autoridade, não? Para aquele pequeno grupo, as portas se abriam. Aquelas pessoas transitavam sem restrições no interior do edifício e pelas ruas do bairro, mesmo sem viver ali. Elas demonstravam ter, afinal, uma palavra importante que mencionamos no início deste capítulo: "empatia", que é a capacidade que todo ser humano tem de se colocar no lugar do outro, daquele que sofre. Nas guerras e nos desastres naturais, existem profissionais assim? Quem são eles?

De fato, no mundo real, existem algumas organizações e alguns profissionais que podem ser comparados à figura que nós criamos nessa situação. Eles são responsáveis por realizar um trabalho chamado "humanitário". Normalmente, pertencem a grandes organizações, tais como a ONU (Organização das Nações Unidas), a Cruz Vermelha e os Médicos Sem Fronteiras.

A autoridade desses profissionais para exercer o trabalho humanitário vem de acordos feitos entre os países do mundo — ou, no caso de nossa maquete, de acordos feitos entre os síndicos e condôminos de cada um dos prédios daquela rua. Os funcionários humanitários não atuam, portanto, a serviço e um ou de outro país, mas da coletividade. E têm como "autorização para trabalhar", digamos, alguns "combinados" que, no mundo real, se encontram expressos na forma de leis, convenções, tratados e normas. Ao assinar esses "combinados", os países do mundo delegam um papel a esses profissionais e também reconhecem alguns direitos às pessoas pelas quais esses profissionais trabalham.

PARA CADA PORTA, UMA CHAVE

Em nossa maquete, o papel exercido por aquele trio foi semelhante ao de uma chave. A partir dali, a porta se abriu. Mas não foram eles, pessoalmente, os responsáveis. Foram as leis que representavam. Os "combinados" assinados entre os diversos governos são, portanto, como chaves que tornam possível abrir as portas para as pessoas em necessidade. Essas chaves não são um presente, não são uma esmola. Não são dadas por pena ou por caridade. São direitos.

Os direitos são, portanto, uma espécie de molho de chaves. E é com elas que podemos encontrar as formas adequadas de abrir as portas do acolhimento e da proteção de pessoas em necessidade. Para quem precisa de proteção contra os efeitos da guerra, existe uma chave. Para quem busca abrigo por causa de desastres naturais, é outra. Há uma terceira para quem foge de crises econômicas e da pobreza.

E qual será a chave para quem, como você, fugiu de tudo isso junto — um desastre natural, seguido de guerra civil, violência, perseguição e pobreza? Será possível definir? É, por fim, um gesto realmente humanitário classificar o sofrimento das pessoas em categorias técnicas, estabelecendo comparações entre quem sofre mais e quem sofre menos, entre quem tem ou não o direito de viajar pelo mundo, de mudar de país, de buscar proteção ou simplesmente melhores condições de vida?

São perguntas difíceis de responder, não só para nós, eu e você, mas também por quem estuda isso nas universidades, por quem trabalha com essas questões nos governos e também por quem atua com aplicação dessas normas na prática, todos os dias, no trabalho humanitário.

A despeito de todos os problemas que essa classificação técnica possa trazer, vamos aqui, primeiro, tratar de entender quais são as chaves que fazem parte desse molho, e em que circunstâncias cada uma delas é usada. Ao compreender isso, teremos entendido como está esse debate no mundo. E, a partir daí, você poderá — por que não? — agir para melhorar o estado das coisas, seja como pesquisador, estudioso, legislador, governante, diplomata ou funcionário humanitário. Afinal, os que hoje decidem sobre isso também estiveram aí onde você se encontra agora: dando os primeiros passos nesse universo.

MIGRANTE

Quem se muda está migrando. As pessoas que partem, emigram, e as que chegam, imigram.

Quem viaja de São Paulo em direção ao litoral do estado, por exemplo, toma a rodovia dos Imigrantes, que tem esse nome porque se situa exatamente na rota que os imigrantes fizeram ao chegar no Brasil no início do século XX. Assim, se você se mudar hoje do Brasil para, digamos, a França, será, em princípio, um emigrante brasileiro imigrando no país europeu.

Todo ser humano tem "liberdade de locomoção". Essa regra está expressa em diversos documentos. O mais abrangente deles, sobre o qual você talvez já tenha ouvido falar, é a

Declaração Universal dos Direitos do Homem, de 1948. Ela reconhece que todo ser humano tem a "liberdade de deixar qualquer país".

Sem dúvida, a locomoção entre as fronteiras está regulada por diversas outras normas específicas, aplicáveis aos turistas, aos menores de idade que viajam desacompanhados e até mesmo a cães e gatos transportados em aviões. Essas regras determinam em detalhe o que é necessário para viajar, incluindo passaportes e demais documentos exigidos por cada país. Entretanto, nosso objetivo aqui é discutir as migrações de caráter mais definitivo que uma viagem de férias — e, sobretudo, as migrações forçadas, por razões alheias à vontade de quem viaja, tais como guerras, perseguições políticas, crises econômicas e desastres naturais.

Muitas pessoas migram por causa do trabalho, por exemplo. Algumas têm a sorte de contar com grandes empresas multinacionais que cuidam dos trâmites legais necessários para essa mudança. Outras estão vinculadas a grandes universidades que também oferecem as condições mínimas para o estudo e a permanência num determinado país. Entretanto, há milhares de trabalhadores empobrecidos que diante da falta de perspectiva provocada pelo desemprego e pela pobreza migram para sobreviver. Essas pessoas também têm o direito de migrar. E, portanto, precisam das "chaves" do direito necessárias para trabalhar e viver no exterior.

A Convenção Internacional sobre a Proteção dos Direitos de Todos os Trabalhadores Migrantes e dos Membros de Suas Famílias, de 1990, se aplica a toda "pessoa que vai exercer, exerce ou exerceu uma atividade remunerada num estado de que não é nacional" (com exceção de empregados de organismos internacionais, refugiados, estudantes, estagiários, empregados de empresas marítimas e diplomatas). É, portanto, uma Convenção abrangente, que abarca o grosso das migrações econômicas, ou seja, de trabalhadores que tentam a vida num lugar diferente de seu país de origem, e que precisam de proteção contra trabalhos forçados e outras formas de escravidão moderna.

Essas pessoas são chamadas "migrantes econômicos". Frequentemente, esse é um fluxo migratório dos países pobres para os países ricos, do sul para o norte do planeta. Muitas vezes, esses migrantes são usados para preencher vagas em trabalhos que os próprios nacionais já não querem realizar — empregos penosos, que não exigem muita escolaridade e oferecem, em troca, baixa remuneração, tais como a construção civil, a coleta de lixo e os serviços domésticos.

Há circunstâncias nas quais os países de melhor economia absorvem essa migração de caráter econômico. Mas, muitas vezes, não. O estrangeiro é, nesse caso, percebido como alguém que "rouba empregos" locais. Todo país tem o direito de impedir a entrada de estrangeiros para "prevenir infrações penais ou para proteger a segurança nacional, a segurança ou a ordem públicas, a moral ou a saúde públicas, ou os direitos e liberdades das demais pessoas", diz a Declaração Americana Sobre Direitos Humanos, que reconhece que todos podem deixar o próprio país.

O sistema legal que reconhece a mobilidade humana é o mesmo que reconhece a soberania dos países em relação a suas próprias fronteiras. A disputa se dá precisamente na hora de definir se, em determinada situação, a balança pesa mais para um lado ou para o outro.

REFUGIADO

Refugiado é todo aquele que foge por "fundados temores de perseguição por motivos de raça, religião, nacionalidade, grupo social ou opiniões políticas", em situações nas quais "não possa ou não queira regressar" a seu país de origem. Estamos falando não de um "migrante econômico" que parte em busca de melhores condições de vida, mas de alguém que, caso permaneça em seu país de origem, pode ser morto.

De todas as categorias de migrantes, o refugiado é o mais vulnerável. Ser perseguido e ameaçado em seu próprio país é uma situação que provoca enorme desterro e desamparo. Reconhecendo essa situação de vulnerabilidade extrema, os diversos Estados decidiram adotar em conjunto uma convenção com normas fortes e bastante estritas a respeito da proteção à qual os refugiados têm direito. É um dos casos para os quais se oferece uma "chave mestra", digamos.

A Convenção Relativa ao Estatuto dos Refugiados, de 1951, determina que o país anfitrião (o país que recebe o refugiado) deve dar "o mesmo tratamento que aos nacionais no que concerne ao ensino primário", e que o refugiado deve receber "o mesmo tratamento em matéria de assistência e de socorros públicos que é dado aos seus nacionais". O mesmo se aplica à isonomia (tratamento igualitário) em relação a remuneração, aposentadoria e outros direitos que são normalmente assegurados a quem é do país de acolhida.

Essa convenção também contém uma regra chamada *non refoulement*, ou de não rechaço, em português. Por ela, nenhum Estado-parte "expulsará ou rechaçará, de maneira alguma, um refugiado para as fronteiras dos territórios em que a sua vida ou a sua liberdade seja ameaçada em virtude da sua raça, da sua religião, da sua nacionalidade, do grupo social a que pertence ou das suas opiniões políticas".

DESLOCADOS

Os "deslocados internos" compõem uma categoria que poderia ser descrita de maneira simples como "refugiados internos" — são pessoas que fogem, "com fundado temor de perseguição" como os refugiados, sem, no entanto, cruzar fronteiras internacionais. É um termo mais aplicado aos deslocamentos forçados, nos casos de guerras e de desastres naturais, e não tanto às migrações por razões econômicas, ao longo de anos, como nos deslocamentos de nordestinos para o Sudeste, ou de gaúchos para o Centro-Oeste, por exemplo. É o que ocorre atualmente em países como a República Centro-Africana e, mais próximo de nós, na vizinha Colômbia.

ASILADOS

Como no caso dos refugiados, a designação "asilado" também se aplica a pessoas que buscam proteção em casos de perseguição — sobretudo perseguição política. Esse, porém, é um termo que foi mais frequentemente aplicado aos países sul-americanos, nos anos 1960 e 1970, durante as ditaduras militares que existiram na região.

Infelizmente, ainda é frequente na América Latina — embora não só aqui — que governos persigam seus opositores usando para isso a legislação penal local. Ou seja: o governo acusa um opositor de ter cometido um crime comum quando, na verdade, pretende apenas silenciá-lo politicamente, colocando-o na cadeia. Nesses casos, o dissidente pode solicitar asilo num país estrangeiro. Caso o presidente do país que receba esse pedido resolva reconhecer o mérito do pedido de asilo, estará, consequentemente, mandando uma mensagem de desconfiança sobre o sistema jurídico do país de procedência do requerente.

Na prática, os pedidos de asilo podem ser feitos em embaixadas, pois elas são como pedaços de um país estrangeiro no exterior. A decisão de conceder asilo recai normalmente sobre o presidente da República, pois é uma decisão política.

O asilo é regulado genericamente pelo artigo 14 da Declaração Universal dos Direitos Humanos de 1948, que diz que "toda pessoa, vítima de perseguição, tem o direito de procurar e de gozar asilo em outros países". Nas Américas, a Convenção de Caracas de 1954 se refere especificamente à concessão de asilo. O seu artigo 1º é bem elucidativo em relação à diferença entre asilo e refúgio: "todo Estado tem o direito de conceder asilo, mas não se acha obrigado a concedê-lo, nem a declarar por que o nega". No caso do refúgio, todo país é obrigado a analisar o pedido e, havendo "fundados temores de perseguição", conceder ou justificar a razão para a não concessão.

EXILADOS

O exílio traz consigo a ideia do degredo, da expulsão de um local ao qual se pertenceu, da conversão do nacional em estrangeiro, da segregação, que tem origem no latim *segregare*, ou seja, "separar do rebanho", "apartar". O termo "exílio" é mais popular e menos jurídico. Remete a uma perseguição que tem por interesse o despertencimento do exilado e a negação da identidade.

Aqui mesmo, na América do Sul, o exílio foi usado como arma contra os que se opunham às ditaduras militares que governaram diversos países da região. Décadas de exílio causaram desajustes emocionais e identitários em mais de uma geração de latino-americanos, numa escala difícil de entender para os que nunca passaram pela experiência. Muitos saíram ainda crianças com seus pais perseguidos e só voltaram a seus países de origem depois de adultos. Alguns nunca falarão o próprio idioma sem sotaque estrangeiro. Esses exilados que retornam se sentem para sempre estranhos na própria terra. E assim morrerão, marcados por uma experiência que, embora carregada de aprendizados valiosos, é também uma cicatriz bastante visível.

O artigo 9 da Declaração Universal dos Direitos do Homem diz que "ninguém será arbitrariamente preso, detido ou exilado". Mesmo assim, o exílio é uma mancha na história recente de muitos países, incluindo o Brasil.

"REFUGIADOS" AMBIENTAIS E POR IDENTIDADE DE GÊNERO

O refugiado é aquele que busca abrigo num país estrangeiro alegando "fundados temores de perseguição". Logo, por definição, o termo "refugiado" não poderia ser aplicado a pessoas que deixam seus países por causa de terremotos ou furacões. Entretanto, para muitos estudiosos do direito, é preciso que essa regra evolua e passe a incorporar também as vítimas de desastres naturais, dando a eles o status de "refugiados ambientais".

Outra área na qual o direito experimenta inovações diz respeito à identidade de gênero. As discriminações e perseguições políticas, de raça e de religião também são dirigidas, em muitos países, contra a comunidade LGBTI (lésbicas, gays, bissexuais, travestis, transexuais e intersexuais). Em alguns países, a identidade de gênero é um fator associado à discriminação e até à pena de morte. Por isso, existem casos nos quais a proteção dada aos refugiados por perseguição política também é estendida a essas pessoas.

Esses dois casos — dos chamados refugiados ambientais e dos refugiados por questões de identidade de gênero — são exemplos de como o "molho de chaves do direito" continua crescendo para dar conta de novas preocupações humanitárias.

A IMIGRAÇÃO HOJE NO BRASIL

O Brasil tem algo perto de 1,3 milhão de imigrantes para uma população de mais de 200 milhões de habitantes. Mesmo esse número tendo crescido 24% entre os dez anos transcorridos entre 2011 e 2021 — sobretudo por conta da imigração haitiana e venezuelana —, a verdade é que o percentual de estrangeiros vivendo no país é muito baixo quando comparado ao de países como os EUA, que têm uma população de imigrantes correspondente a 14% da população total, ou mesmo em relação a um vizinho como a Argentina, onde esse percentual é de 4%. A média mundial é de 3,7%. No Brasil, esse percentual não chega a 1%.

Ainda assim, mesmo com uma presença tão baixa de estrangeiros vivendo entre nós, é comum que o rechaço à imigração apareça como um tema de primeira grandeza no discurso de alguns políticos e eleitores que veem no imigrante uma fonte de problema, frequentemente associada a atividades ilegais, como tráfico de pessoas e de drogas, quando não ao roubo de empregos e oportunidades. Esse recurso à figura de um inimigo externo ameaçador é algo já bem conhecido.

A imigração ainda é, na prática, um assunto de polícia: todos os trâmites de entrada e saída, assim como os vistos de permanência e autorizações diversas, são geridos pela Polícia Federal. A visão sobre o imigrante é bastante securitária. Passa por uma ideia do estrangeiro como ameaça. Há uma mensagem implícita de que é preciso resguardar as fronteiras contra essas pessoas, que são, em princípio, tratadas com desconfiança e suspeita, particularmente quando negras e pobres, como é o caso sobretudo dos imigrantes do Haiti e de países da África.

Esse sentimento, muitas vezes difuso, aparece plasmado em muitas leis e normas que o país adota no setor. O caráter restritivo da postura brasileira diante dos imigrantes tornou-se muito visível quando Sergio Moro, então ministro da Justiça do governo do presidente Jair Bolsonaro, publicou, em julho de 2019, a portaria de número 666 — uma sinistra coincidência com a sequência de algarismos popularmente associada a coisas diabólicas — que previa a deportação de "pessoas perigosas" em até 48 horas. As "pessoas perigosas", no caso, eram estrangeiros "que tenham praticado ato contrário aos princípios e objetivos dispostos na Constituição Federal".

Esses atos vão desde briga de torcida até terrorismo. Como os conceitos são amplos e vagos, organizações de direitos humanos alertaram para o risco de que essa norma fosse empregada para perseguir estrangeiros vistos como inoportunos pelo governo de turno. A norma de Moro acabou revogada mais tarde e teve um substitutivo que mudou pouca coisa. A deportação sumária, antes fixada em dois dias, passou a ser de cinco dias.

Em vez de entrevistar apenas estudiosos, acadêmicos e políticos, em fevereiro de 2022, perguntei a um refugiado da República Democrática do Congo que vivia no Brasil desde 2013, chamado Prosper Dinganga, o que ele achava de iniciativas legislativas brasileiras como essa. Ele me disse o seguinte: "Quando o imigrante chega num país, o objetivo dele é levar uma vida normal. Ele não quer seguir levando a vida na mesma condição em que estava quando chegou. Para isso, ele tem que ser incluído na sociedade. Mas o que acontece? Cada vez que chega alguém, nós percebemos mudanças nas decisões que são tomadas. Um exemplo: a portaria 666, feita pelo Sergio Moro, criminalizou muito os imigrantes. Esse é o tipo de decisão que dificulta as coisas".

Dinganga, que veio ao Brasil fugindo da guerra civil na República Democrática do Congo, é grato à acolhida e às oportunidades que teve, mas não deixa de notar que a sociedade brasileira é cheia de contradições: o país que o recebeu como refugiado é o mesmo onde ele se sente discriminado por ser negro. "O fato de termos saído de um continente pobre como o continente africano, o fato de sermos negros e de todos os negros sofrerem muito racismo aqui fazem muita diferença", ele me contou. "Os refugiados de pele branca encontram muitas aberturas, muitas oportunidades, sejam de trabalho, sejam sociais. Já os negros africanos, mesmo os que têm qualificações acadêmicas, não são valorizados, não encontram empregos, precisam fazer trabalhos inadequados à formação que têm."

É interessante ouvir alguém que vive na pele o que está dizendo. Mas não só isso, pois Dinganga mostra como é capaz de extrapolar suas percepções para além de sua história pessoal, enxergando toda uma estrutura de preconceito e discriminação dirigida a muitos como ele.

A conversa que tive com Dinganga aconteceu apenas uma semana depois de um crime brutal ter ocorrido no Rio de Janeiro, em 24 de janeiro de 2022. Um jovem chamado Moïse Kabagambe, de apenas 24 anos, que, assim como Dinganga, havia fugido da guerra na República Democrática do Congo, buscando refúgio no Brasil, foi espancado até a morte. A família conta que ele foi imobilizado, amarrado e agredido com pedaços de pau depois de cobrar uma dívida por dias trabalhados num quiosque da Barra da Tijuca. O crime bárbaro chocou o país e provocou uma reflexão sobre a situação dos imigrantes.

"Nós esperamos que, a partir dessa tragédia, muitas coisas mudem. Esperamos que mudem as políticas públicas em relação aos refugiados e aos imigrantes em geral. Esse país sempre escolheu acolher alguns tipos de migrantes. Esperamos que isso mude, que as autoridades, que o Estado brasileiro, tenham outro olhar sobre os refugiados", disse Dinganga. "É muito importante que a gente possa conversar sobre essas questões. Não podemos deixar esse assunto debaixo do pano até que haja uma outra tragédia com um imigrante para começar a perceber que existem essas pessoas dentro da sociedade. A hora de agir é agora", concluiu, numa conversa que acabou publicada à época em formato de entrevista no Nexo Jornal.

5

VOCÊ É O IMIGRANTE AO LADO

Quando lemos a respeito de todas essas normas criadas para proteger migrantes econômicos, refugiados, deslocados internos, asilados e seja lá qual for o tipo de viajante que se encontre numa posição de vulnerabilidade, podemos ter a falsa sensação de que o mundo dispõe de regras prontas para tudo. Ao conhecermos num livro, de uma única vez, todo o repertório legal que tenta amparar essas pessoas, podemos supor erroneamente que essas normas sempre estiveram lá, à espera dos mais necessitados. Mas isso não é verdade.

Vamos tomar como exemplo um caso bastante extremo: o da Segunda Guerra Mundial. Ela teve início em 1939. Até o seu fim, em 1945, a Segunda Guerra provocou alguns dos maiores deslocamentos forçados de que se tem notícia em toda a história da humanidade. Um grupo em particular, o dos judeus, foi especialmente castigado por políticas de perseguição e de extermínio. Você poderia pensar que os judeus e os demais civis castigados pela Segunda Guerra Mundial dispunham da "chave" necessária para fugir em busca de abrigo. Afinal, sem dúvida alguma, eles compunham um grupo que se encaixava na definição de perseguidos por "motivos de raça, religião, nacionalidade, grupo social" ou até mesmo a combinação de mais de um desses critérios. É verdade. Mas perceba um detalhe: a Segunda Guerra Mundial acabou em 1945, enquanto a Convenção sobre os refugiados só viria a ser escrita seis anos depois, em 1951.

No mundo do direito, as normas protetivas são quase sempre adotadas para remediar um problema que já passou. São aplicadas, num certo sentido, "com atraso". Há outros exemplos. Veja o caso da Quarta Convenção de Genebra. Trata-se de um dos principais instrumentos do direito internacional para a proteção das populações civis em caso de guerra. Ela proíbe que os militares em guerra dirijam ataques contra as populações civis e contra os bens civis, tais como veículos, residências e outras estruturas indispensáveis à sobrevivência das populações, como estações de tratamento de água, pontes, estradas e escolas.

A Quarta Convenção de Genebra só foi adotada em 1949, portanto, quatro anos depois do fim da Segunda Guerra Mundial, que tanto sofrimento e destruição havia provocado sobre os civis até 1945.

Esse "atraso" ocorre principalmente por duas razões. Primeiro, porque a humanidade aprende com os próprios erros e tenta aperfeiçoar a própria existência adotando leis. Segundo, porque essas novas leis tentam prevenir ou remediar tragédias semelhantes no futuro.

É natural pensar, portanto, que estejamos vivendo hoje situações para as quais não dispomos ainda de regras protetivas adequadas. Um exemplo que mostra isso claramente é o dos chamados "refugiados ambientais". À medida que a humanidade polui e destrói o meio ambiente, contribuindo para o aumento da temperatura na Terra, para o derretimento das geleiras eternas e, consequentemente, para a elevação do nível do mar, é de esperar que comunidades vulneráveis no mundo todo acabem migrando em busca de proteção. A mudança brusca no regime das chuvas — com inundações de um lado e secas do outro — está levando populações a, cada vez mais, migrar em busca de melhores condições ambientais.

Por certo, isso já existia no passado, de alguma maneira. A questão, agora, é a magnitude desses fenômenos, a imprevisibilidade com que eles ocorrem, a longa duração e a amplitude do estrago que é provocado, fazendo com que as consequências mais graves recaiam invariavelmente sobre os mais pobres, os que vivem em palafitas sobre o mangue ou o mar, sobre os que dependem das atividades agrícolas para subsistir e os que não têm a opção de simplesmente comprar uma casa melhor e mais segura em outro lugar.

O aquecimento global é uma realidade para a qual nós acordamos apenas recentemente e, assim como no caso da Segunda Guerra Mundial, é possível que os países adotem regras com certo atraso para lidar com essa nova realidade.

Dito dessa forma, podemos acabar nos sentindo apenas como espectadores impotentes. Afinal, não somos legisladores, não fazemos as leis. Não somos diplomatas, não negociamos a redação dos tratados internacionais. Não somos funcionários humanitários, então não intercedemos diretamente em benefício das vítimas.

Há, entretanto, muito a ser feito. Ter conhecimento dessa realidade já é um grande ato. Muitas pessoas tratam os imigrantes — e os refugiados, em particular — com enorme preconceito e desprezo. Essa atitude agressiva é fruto do desconhecimento e da ignorância, ou, quando pior, do racismo e da falta de solidariedade. Saber como esses fenômenos ocorrem e entender os fatores que levam esses imigrantes a se lançarem numa vida de percursos erráticos e indesejados é um grande gesto de aproximação. Encurtar a distância emocional em relação a esses grupos é, portanto, muito relevante.

A segunda atitude que qualquer um pode tomar a esse respeito é a de manter uma postura aberta, de curiosidade ativa sobre o universo que envolve os imigrantes. Você certamente gosta de comida italiana, japonesa ou árabe. Já parou para pensar em como essas receitas chegaram até você? Não foi pelo Google, pois a internet é uma tecnologia recente, enquanto as migrações são um fenômeno tão antigo quanto a própria humanidade. Seja, portanto, aquela pessoa curiosa, que vai atrás de novidades que os demais ainda não conhecem. Viaje dentro do seu próprio país. Descubra se há estrangeiros vivendo na sua cidade. Eles provavelmente mantêm espaços de convivência entre si, seja em clubes bem estruturados, seja num pequeno restaurante de comida típica ou em festas e encontros associados ao calendário do país de origem.

A terceira atitude possível é apresentar aos outros esse universo. Muitos de seus amigos e amigas, ou até mesmo alguns de seus familiares, podem ter uma visão excessivamente precavida, desconfiada, defensiva ou até mesmo preconceituosa em relação aos estrangeiros. Partilhe suas experiências positivas com eles. Conte aos demais tudo o que você conseguiu descobrir a respeito de uma nova cultura e de um novo idioma. Fotos, receitas, histórias, tudo o que ajude a mostrar que o outro não é, em si mesmo, uma ameaça, só nos causa estranhamento. Mas ele é também uma janela privilegiada para um vasto mundo que nós apenas sonhamos em conhecer.

Perceba que nenhuma dessas atitudes depende de uma lei para acontecer. Elas dependem apenas da vontade de pessoas comuns, como eu e você. Sim, as sociedades também são construídas pelo que pessoas comuns, como nós, decidem fazer no cotidiano. Algumas dessas posições que assumimos no dia a dia — às vezes, as melhores posições, às vezes, as piores, infelizmente — tomam a forma de leis e, assim, têm impacto direto na vida de milhares de outras pessoas. O melhor que podemos fazer, portanto, é manter viva a empatia, que é essa capacidade de nos colocarmos na pele do outro: e se fosse comigo? E se fosse eu? Como eu gostaria de ser tratado? Como eu gostaria de ser visto?

O "outro" é apenas alguém que nós ainda não conhecemos. E cada "outro" com o qual cruzamos nos oferece a oportunidade de iniciar uma nova viagem, que nos leva não apenas a conhecer um idioma, uma religião, uma culinária e uma cultura diferentes, mas também a entender mais sobre nós mesmos.

SOBRE O LIVRO
E O AUTOR

Eu sou jornalista desde a adolescência, quando comecei a me interessar, ainda na escola, por uma rádio de alto-falante que tocava no recreio, por jornal de bairro, site de colégio e comunicados que eu escrevia e enviava aos jornais de Santos, avisando que minha banda ia tocar em algum lugar. Mais tarde, fiz faculdade de jornalismo em Santos, ao mesmo tempo que comecei a estagiar na *Oboré*, em São Paulo, onde eu fazia programas de rádio de sindicatos de trabalhadores rurais. Nos quatro anos em que viajei entre as duas cidades, de segunda a sexta-feira, devo ter lido metade dos livros que conheço até hoje. Anos mais tarde, passei a escrever para jornais e revistas, tornei-me correspondente de rádios e de agências estrangeiras.

Escrevi, como repórter, nos três principais jornais impressos brasileiros: *Folha*, *Estado* e *O Globo*, e também na revista *piauí*. Em 2010, no *Estadão*, fui ao Chile cobrir o rescaldo do terremoto e do tsunami. Nesse mesmo ano, fui ao Haiti, como enviado especial, acompanhando as tropas brasileiras, também após um gigantesco terremoto que deixou entre 100 mil e 300 mil mortos; ninguém nunca vai saber ao certo o número de vítimas. Nos dois casos, foram viagens curtas, mas intensas, com acesso ao epicentro das duas tragédias. Eu já era pai, e vi crianças morrendo de forma violenta. É o suficiente para compreender a questão humanitária de forma fulminante.

Além do trabalho na imprensa, fui assessor de comunicação de duas organizações. Primeiro, passei sete anos coordenando o serviço de imprensa do CICV (Comitê Internacional da Cruz Vermelha) no escritório que cobria Brasil, Argentina, Chile, Uruguai e Paraguai. Trabalhava com direito humanitário e normas aplicáveis às guerras e outras situações de violência armada. Depois, fiz trabalho semelhante na Conectas, uma organização internacional de direitos humanos baseada em São Paulo, que atua muito com a questão dos imigrantes e refugiados.

Fui casado com uma jornalista chilena — a Marly, querida amiga, com a qual tenho um filho, o Julio. Depois de cobrir dois terremotos devastadores, me mudei com a família para uma casa de madeira sem luz corrente, no alto de uma montanha, passando o vilarejo de Quitratúe, no sul do Chile, onde ajudávamos minha então sogra a lutar contra um câncer e a cuidar de quarenta frangos, vinte ovelhas, dois bois, um gato, um cachorro e uma criança. Fui imigrante ali.

As coisas mudaram. Com meu filho, Julio, minha esposa, a Gabi, e as duas cadelas, a Firula e a Mila, morei em Paris — imigrante, de novo —, onde fui correspondente do Nexo Jornal. Com o passar do tempo, fui me especializando num jornalismo didático e de perfil explicativo, com o qual tento simplificar informações políticas, diplomáticas, humanitárias e jurídicas.

Este é o primeiro livro que escrevo. Foi feito graças ao convite generoso da Lilia Schwarcz, que me chegou por meio da Paula Miraglia. Trabalhei nele com o apoio da Mell Brites, da Julia Schwarcz e do Antonio Castro. Sem o tempo e a generosidade de centenas de pessoas que entrevistei ao longo da vida, este livro nunca teria sido possível.

ÍNDICE REMISSIVO

África, 19, 72, 88
Agência Brasil, 20
Aimabree, Gloriane, 26
Alemanha, 49, 75
ameaça, estrangeiro como, 88
aquecimento global, 93
Argentina, 87
"asilado", 84, 91
asilo, pedidos de, 85
Assad, Bashar al-, 70-1
Assad, Hafez al-, 70

"bárbaros", 35
Barre, Siad, 73
BBC, 24
bolivarianos, 22
Bolsonaro, Jair Messias, 88
Bonaparte, Napoleão, 68
Brasil, 11, 19-20, 22-3, 32, 37, 39-40, 43-6, 68-9, 75-7, 80, 86, 89-90; imigração hoje no, 87; projeto de lei antijaponês no, 45; refugiados no, 19-20, 23, 26-7, 69, 76-7, 87-8, 90, 98

Brasileia (AC), abrigo para refugiados haitianos em, 76

Cabral, Pedro Álvares, 37, 40
campanhas difamatórias, 74
Casa de Apoio às Crianças Filhas de Migrantes (Manaus), 27
catástrofes tecnológicas, 23
Champs de Mars, 68
Chávez, Hugo, 22
Chifre da África, 72
Chile, 11, 76, 98
Colombo, Cristóvão, 37-8
Convenção de Caracas (1954), 85
Convenção Internacional sobre a Proteção dos Direitos de Todos os Trabalhadores Migrantes e dos Membros de Suas Famílias, 81
Convenção Relativa ao Estatuto dos Refugiados (1951), 83
Copa dos Refugiados, 20
corrupção, 49, 75
crises humanitárias internacionais, 75

Cruz Vermelha, 78
Cuba, como polo de atração para estrangeiros, 16

Dadaab, complexo de campos de refugiados (Quênia), 72-3
Declaração Americana Sobre Direitos Humanos, 82
Declaração Universal dos Direitos Humanos, 81, 85-6
democracia, 19
desastres naturais, 23
"descobrimento da América", 37
"deslocados internos", 84, 91
deslocamentos forçados, 66
diferentes, exclusão dos, 29
Dinganga, Prosper, 89-90
direito internacional, 92
direito romano, 34, 37
discriminações, 87
Dum diversas, bula papal, 38-9

Egito, 19
emigrante, 80
empatia, 65, 78, 95
escravidão, 37, 40-3, 46, 67
escravidão perpétua, 38-9
Estado de S. Paulo, O, jornal, 23
Estado falido (expressão), 73
Estados Unidos, 49, 71; medicina e computação como polo de atração para estrangeiros, 16
estrangeiro, 88; e a definição de identidade, 29; "pagão", 38; repulsa ao, 29-30; visto como inimigo, 34-6
exílio, 85-6
expulsões, 23, 25

França, 10, 16, 75, 80
Freud, Sigmund, 29, 36
fronteiras, locomoção entre, 81

G1, portal de notícias, 26
gênero, identidade de, 87
guerra civil, 19, 71-2
Guerra Fria, 19
guerras, 17-20, 24-6, 45, 66, 81, 89

Haiti/haitianos, 26-7, 49, 69-70, 73, 76-7, 87-8; terremoto no, 67-9
Holocausto, 21

imigração/imigrantes, 40, 43-6, 87, 90
Império Romano, 33-4, 37
indígenas, 37, 39-40, 46
Indonésia, 66-7, 70, 73

japoneses, removidos por Getúlio Vargas, 45
Jarou, Abdul, 20
Jordânia, 19, 75

Kabagambe, Moïse, 90
Kasato Maru, navio, 44

Lacan, Jacques, 36
LGBTI, comunidade, 87
Líbano, 19, 75-6
"liberdade de locomoção", 80-1

Médicos Sem Fronteiras, 71, 78
migração, 11, 14, 17, 24-7, 29-31, 81-2, 91, 93-4
Moro, Sergio, 88-9

Moscou, como polo de atração para estrangeiros, 16
movimentos humanos, 15

ondas migratórias, 35
Nexo Jornal, 90
Nicolau V, 38
non refoulement (não rechaço), 83
normas protetivas, 92
Novo Mundo, 37, 39

ONU (Organização das Nações Unidas), 78
Oriente Médio, 19

"pagão", 38
Painel das Nações Unidas para Mudanças Climáticas, 24
pena de morte, 87
"perigo amarelo", 45
Pérez, Oswaldo José Ponce, 23
perseguições, 20-2, 26, 66, 74, 81, 87
"pessoas perigosas, deportação de", 88
Peru, 76
pobreza, 22, 66, 75, 79, 81
"Primavera Árabe", 19

Quarta Convenção de Genebra, 92
Quênia, 72

racismo, 8-9, 41, 89, 93

refugiados, 19, 23, 65, 69, 72-3, 75, 81, 83-4, 86-7, 89-93; definição de, 83; representação de um, 47-64
"refugiados ambientais", 86-7, 92
"refugiados internos", 84
Reis, Fidélis, 44
República Centro Africana, 84
República Democrática do Congo, 89-90
República Dominicana, 76
Ruanda, 21

segregação, 85
Segunda Guerra Mundial, 19, 21, 45, 91-3
Síria/sírios, 7, 19-20, 26, 70-6
Somália, 49, 72-3
Suíça, como polo de atração para estrangeiros, 16

Teitiota, Ioane, 24
trabalho humanitário, 78, 80
tráfico negreiro, 40
Tunísia, 19
Turquia, 19, 75
tútsis e hútus, conflito entre, 21

Vargas, Getúlio, 45
Venezuela/venezuelanos, 22-3
Villegagnon, Nicolas Durant de, 10

ESTA OBRA FOI COMPOSTA POR OSMANE GARCIA FILHO EM CHARTER E
MR EAVES SAN E IMPRESSA EM OFSETE PELA GRÁFICA PAYM SOBRE PAPEL PÓLEN
BOLD DA SUZANO S.A. PARA A EDITORA SCHWARCZ EM AGOSTO DE 2022

A marca FSC® é a garantia de que a madeira utilizada na fabricação do papel deste livro provém de florestas que foram gerenciadas de maneira ambientalmente correta, socialmente justa e economicamente viável, além de outras fontes de origem controlada.